浪漫図案

明治・大正・昭和の商業デザイン

佐野宏明 編

はじめに

幕末の開国から昭和初期に掛けて日本は、激動の100年を歩んだ。長い泰平の眠りから覚めるや否や、政治、経済、文化、思想のすべてに渡って、急激な変革をおこし、近代国家へと奇跡的な飛躍を成し遂げたのである。必死で西洋列国に追いつけ追い越せと、無我夢中に、がむしゃらにつきすすんだ右肩上がりの時代であった。文化的に見ても、明治維新、文明開化、欧化主義、殖産興業、国粋主義、大正デモクラシー、大正ロマン、昭和モダンとめまぐるしく変化する時代背景の中、西洋から怒涛の如く流れ込んできた西洋文化と日本の伝統文化とが、ある時は反発しながら、ある時は融合しながら、独特の折衷文化を築いてきた。その時代の活気あふれる文化の変遷を一目で俯瞰するのは困難ではあるが、商業活動にかかわる創作物から、時代の雰囲気を強く感じ取る事ができるのではないだろうか。

具体的には、商品パッケージやラベル等の意匠類、ポスターや引札等の広告類を対象に、そこに施された素晴らしい図案、グラフィックデザインを刮目する事で、その事を実現したい。それらのものは、絵画や工芸品のように、後世に残すために作られたものではなく、当時に生きる人々に直接的に訴えて、商品自体を瞬間的に輝かせることが目的であったはずである。それ故、時代の活力が凝縮されて詰め込まれている。
本書では、それら、エネルギーあふれる時代の残り香をまとった生き証人たちを、「浪漫図案」と定義し、ロマンに満ちた時代の雰囲気を紙面上に蘇らせたい。
それはまた、衣食住・娯楽などの社会史、浮世絵からビクトリア朝文様、アール・ヌーボー、アール・デコ、そして機能主義的なモダンデザインへと至るデザイン史、瓶やブリキ缶等の容器素材の進化、木版から銅版、石版、亜鉛版、アルミ版に至る印刷技術の進歩を振りかえる事でもある(学術的な掘り下げは、他の専門書に譲るところではあるが)。

ともあれ、横浜・神戸の外国人居留地で流通したラベルの大胆な構図、輸出用生糸ラベルにつけられた精緻なデザイン、ユーモラスでバラエティに富むマッチのラベル、西洋のアール・ヌーボーやアール・デコ様式に敏感に反応した化粧品のパッケージ、浮世絵手法の流れを汲む薬の広告類、舶来品の模倣から始まったビールや紙巻煙草のラベル、過度なまでの装飾で彩られた反物やお菓子のラベル等、魅力あふれる品々の夢の足跡を辿っていきたいと思う。

それにしても、その時代を生きたわけでない我々が「浪漫図案」に、懐かしさや温かさ、そして我が世の春的な心地よさを感じるのはなぜだろうか。まるで、前世にそれらのデザインに日常的に囲まれていたかの幻想を抱きながら、得体の知れない甘美なパワーに陶酔してしまいそうである。

序章

ここでは、幕末から昭和初期に至る商業デザインの大まかな流れを、主にラベル、パッケージを対象として、概観したいと思う。

300年近く鎖国を続けていた江戸時代には、日本独自の文化が形成された。ジャポニズムブームをヨーロッパにもたらした浮世絵がその代表である。幕末に陶磁器の包装紙として、ヨーロッパに入った浮世絵は、その平面的なグラフィック手法の素晴らしさで印象派絵画やアール・ヌーボーに多大な影響を及ぼしたとされる。そのように世界的に見ても独創的な浮世絵の手法を背景として、幕末から明治初期のラベルや広告は展開された。

白粉や刻み煙草、洗粉、売薬等は江戸時代から、店頭売りや行商人による販売がなされていた。量り売りが主ではあったが、商品を入れる袋や包み紙に、木版で図版が刷られたり、ラベルが貼られたりした。写真１と写真２は、幕末から明治初期に掛けての袋である。刻み煙草と洗粉のものであるが、木版により、稚拙ではあるが浮世絵風の挿絵と商品名が刷られている。ラベルに図案が使われ始めた比較的初期の例と思われる。一般的には、明治の初期までは単色刷りで文字中心のものが多い。

明治中期になると伝統な図案もカラフルになる。写真３の白粉ラベルや図４の刻み煙草のラベルのように、全体のレイアウトも工夫され、デザイン的にも面白いものとなる。モチーフは、日本髪の女性や動物が多い。このように日本古来の商品についての図案は、舶来品の影響を殆ど受ける事無く、幕末からの延長線上でデザインが進化し、それが明治後期まで続いた。

次に、日本から海外に輸出された商品に目を向けてみよう。明治の三大輸出商品は、お茶、生糸、マッチである。特に、お茶と生糸は開国直後に外国商人達に見出され、その輸出は、明治から大正に掛けて隆盛を極めた。それらの商品には、海外でも恥ずかしくない意匠を施される必要があり、お茶の場合、浮世絵の技術が応用された。輸出用の茶箱に貼る茶標は、初期の頃は二代広重らが描いた浮世絵をそのまま用いていたが、やがて日本的な図案と外国語を組み合わせたものとなる。30ｃｍ×30ｃｍ程度の薄紙に絶妙にレイアウトされた茶標の数々は浮世絵師の精緻で堅実な仕事である。多くのものが、横浜開港記念館等に保存されている。生糸とマッチについては後ほど述べたい。

対し、開国と共に日本に入ってきた商品については事情が異なる。幕末に輸入が始まると、怒涛の如く、多くの商品が日本に入ってきた。物珍しさも手伝って、石鹸、ビール、ワイン、紙巻煙草、お菓子等が、人気となり、上等舶来という表現で崇められた。それに対抗するように、富国強兵を目論む日本政府の殖産興業策として、また民間でも、輸入商品の国産化が、明治の早い時期に実現された。この場合、商品を武装するラベルは、手本とするものが他になかった事や、舶来品と並ぶ品質を持つ事を顧客に訴求するために、輸入品の模倣から始まった。商品イメージを作り上げるため、とりあえず舶来品のハイカラな装いを真似した事になる。そのような理由で、明治初期から中期にかけてのラベルには、手本となる外国のラベルをベースにして、ローマ字で商品名や会社名をはめ込んだものが多い。代表的な例を、写真６～写真８に示す。その頃のヨーロッパは、モダンデザインが興る前で、ビクトリア朝様式の装飾が全盛の時代であった。ラベルにもその影響が見られ、過剰なまでの装飾にあふれている。

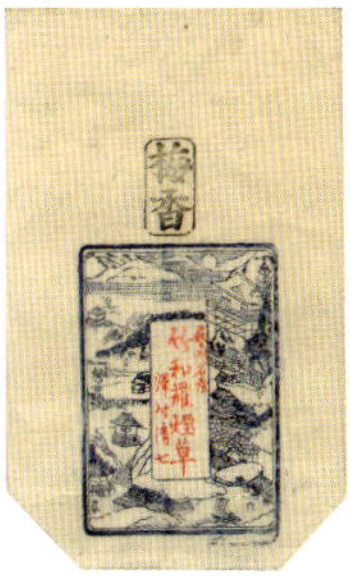

写真1. 刻み煙草の袋（幕末）

写真2. 洗粉の袋（明治初期）

写真3. 白粉のラベル（明治中期）

写真4. 刻み煙草のラベル（明治中期）

写真5. 輸出用茶標（明治中期）

写真6. 洋酒のラベル（明治中期）

写真7. ビールのラベル（明治中期）

写真8. 両切煙草のパッケージ（明治中期）

明治中期以降になると、外国製ラベルの図案を参考にしながらも、単なる模倣に留まらず、うまく日本的テイストを融合したラベルも多く見られるようになる。写真９～写真 12 のお菓子、反物、薬種等のラベルである。
これらのラベルも、ビクトリア朝様式の影響を受け、周囲が唐草や花で豪華に飾られたものが多い。ビクトリア朝様式自体、それまでの古典的な様式の集合体的な面もあるので、ラベルの装飾も、細かく見ると、ルネッサンス風の唐草文様であったり、ロココ調の縁取りだったりするのだろう。

これらの過剰装飾を悪趣味と非難するモダニストの意見もあるが、画工による手の込んだ精緻なデザイン、日本語と英語のバランス、全体のレイアウトの安定感は見事と言いたい。図案の特徴として、博覧会等での受賞メダルを上部に配し、権威付けをしているものが多い。使われている文字は、格調の高い隷書体が主である。現在でもお札や新聞の題字等で使われている伝統的な書体で、その雰囲気が装飾過多のデザインと非常にマッチしている。余談であるが、明治 23 年（1890）に発売された花王石鹸に使われた、書家の永坂石埭（せきたい）の書体が好評を博し、石埭流としてもてはやされるが、これも隷書体の一種であった。

また、明治中期から後期の秀逸なラベルの例として、口付煙草と輸出用生糸のものが上げられる。煙草に関しては、明治から昭和にかけて、刻み、口付、両切の三種のものが存在したが、パッケージデザインは、和風伝統柄の刻み、和洋折衷の口付、洋風の両切に大まかに分かれる。昭和 49 年発行の『民営時代たばこの意匠』の中で田中寅吉氏は、明治 15 年以降のラベルデザインは、明治の初期に政府から発行された紙幣のデザインを参考にしたと述べている。当時の紙幣のデザイン自体は、政府がドイツやアメリカに依頼したものなので、根底には欧米のデザインコンセプトが埋まっているのかも知れない。岩谷商店の口付煙草「中天狗」の例を写真 13 に示す。繊細で技巧的な周囲の縁取りやシンメトリーなモチーフの配置に、紙幣のそれが感じとれ、気品が漂っている。

写真 14 のように、輸出用生糸のラベルも同様の雰囲気を持っているものが多い。明治、大正の主要輸出品であった生糸は、世界に通用する格式の高いラベルデザインが必要だったため、熟練した図案家が腕を振るったのであろう。

明治後期になると、いよいよデザインも近代化の時代に入る。19 世紀末から 20 世紀の初頭にかけてヨーロッパでは、植物的な曲線を特長としたアール・ヌーボーが流行するが、日本へは明治 33 年（1900）にパリ万博を視察した黒田清輝によって伝えられたとされる。元々日本の浮世絵の影響を強く受けているこの様式は、国内でもこれを受入れる土壌があったとみえ、特に女性向けの化粧品、トイレタリー等の華やかなパッケージデザインに、瞬く間に採用された。中山太陽堂のクラブ洗粉やクラブ白粉の、双美人を使った優雅なデザインは有名である（写真 15）。桃谷順天館の美顔水や小林商店のライオン歯磨（写真 16）のパッケージにも積極的に使われた。

一方、杉浦非水が三越のポスターをアール・ヌーボー風に描いたことが良く知られているが、ポスターとアール・ヌーボー様式との親和性は高く、ビールや肥料の広告でも応用された。写真 17 の多木肥料のポスターも好例と言え、周囲の縁取りが如何にもアール・ヌーボー風である。この様に日本中を席巻したアール・ヌーボーの流行は、大正

写真9. お菓子のラベル（明治中期）

写真10. 反物のラベル（明治中期）

写真11. 煉羊羹のラベル（明治中期）

写真12. 薬種のラベル（明治中期）

写真13. 口付煙草のラベル（明治中期）

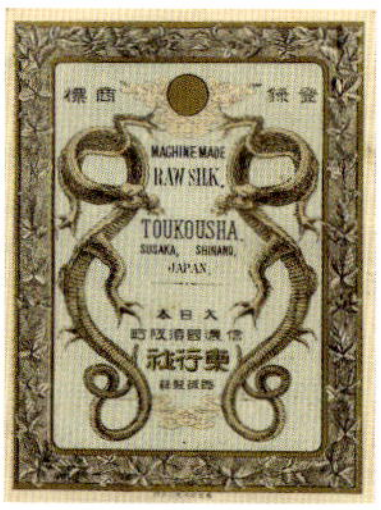

写真14. 輸出用生糸のラベル（明治中期）

写真15. 白粉のパッケージ（明治後期）

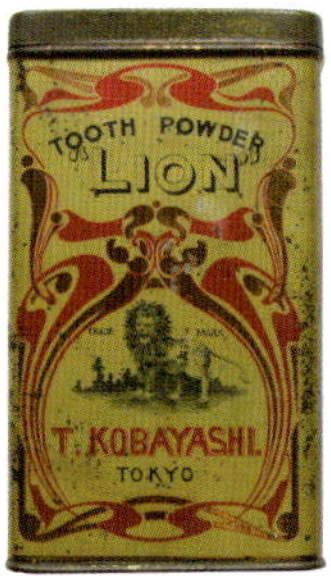

写真16. 歯磨のパッケージ（明治後期）

写真17.多木肥料のポスター（明治後期）

の初めまで十数年間続いた。

デザイン様式の、次の歴史的な流れは、アール・デコである。直線的、幾何学的図形を多用した装飾デザインで、1925年のパリ装飾博で脚光を浴びた。ただし、定まった様式に統一されたものでなく、その時代の動きを総称した表現である。日本でも大正中期より、この流れを受け、単純で抽象的、且つすっきりとしたデザインが多くなる。西洋のアール・デコを単に真似るだけでなく、日本的な感性が溶け合っており、和製アール・デコと呼ばれる場合が多い。これも化粧品や石鹸のパッケージデザインへの採用が早かった(写真18、写真19)。色使いが原色に近く、鮮やかな事も特長である。

またこの頃、大正から昭和初期には、パッケージデザインの方向性は多岐に拡がり、それまでのようにアイテム毎の画一的なデザイン手法から脱却し、自由で独創的な動きが出てくる。メーカー各社も意匠部や図案部を新設し、そこにデザイナーを配置、デザインに力を入れ始めた。明治時代の匿名的な画工、職人の時代から、個性的なデザイナーが表舞台に登場する時代に移行したのである。杉浦非水、山名文夫、原弘等、優れた人材が輩出され、女性をモチーフにした優しい図案も多くなった。写真20は山名文夫、写真21は原弘の作品である。

今まで述べてきたデザインの系譜から、少し外れたスタイルのものもある。マッチや売薬のものであり、格調は無いが、ユニークで楽しくなるデザインである。キッチュと称されたりもする。マッチのラベルは燐票とも呼ばれ、輸出用の図案は、世の中のありとあらゆるものがモチーフの対象となっている(写真22、写真23)。売薬の袋も、体の解剖図(写真24)や達磨、子ども等、効能が直観的にイメージできる絵が多い。それらのコミカルな図案は万人に分かり易く、消費者の認知の獲得という本来の目的は果たしていると言えよう。

広告図案を語る上でもうひとつ忘れてはならないのは、広告キャラクターの存在である。広告キャラクターは、その商品、その会社の代名詞となり、綿々とイメージを伝えてきた。21世紀の現在でも、明治から大正時代に登場した愛嬌者達が、多少容姿を変えながらも生き続けているものが多い。
現役で一番古いものはキリンビールの麒麟であろう。明治22年(1889)にジャパンブルワリーカンパニー（キリンビールの前身）により創出された図案は、ほとんど形を変えずに今も使用されている。麒麟に続き、花王石鹸の月マーク、津村の中将姫、仁丹の大礼服の男性、森永のエンゼル、藤澤樟脳の鍾馗、クラブの双美人、福助足袋の福助等が登場し、顧客の心を捉え続けている(写真25～28)。

以上述べてきたように、明治から昭和初期にかけてのデザインに関しては、いづれもそれに込められた情熱、思い入れが、ひしひしと伝わってくる。
戦後、パッケージデザインは、機能を優先にしたデザインの道をたどり始め、商品名のPRや機能の説明に終始してしまう。一切の無駄が取り除かれたモダンデザインは、一見格好は良いのであるが、なぜか味気なさを感じてしまうのである。手の込んだ職人技も影を潜めてしまう。
それにつけても、パッケージデザインの生き生きした黄金期は、やはり、明治から昭和初期の間であったと、しみじみ思うのである。

写真18. 衿白粉のパッケージ（昭和初期）

写真19. 石鹸のパッケージ（大正～昭和初期）

写真20. 粉白粉のパッケージ(昭和初期)

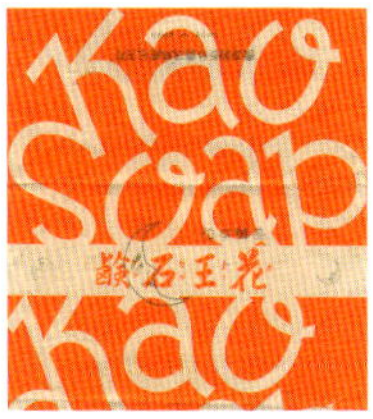

写真21. 石鹸の包装紙（昭和初期）

写真22. 燐票（明治後期～大正）

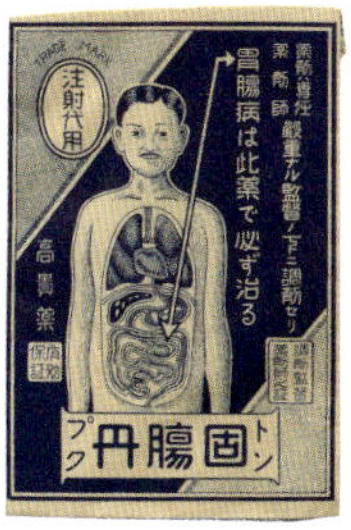
写真24. 売薬の袋（大正～昭和初期）

写真23. 燐票（明治後期～大正）

写真25. 麒麟麦酒のラベル（明治中期）

写真26. 森永の商標（明治後期）

写真27. 仁丹のチラシ（明治後期～大正）

写真28. 福助足袋のラベル（明治後期～大正）

図版下のキャプションは、基本的に以下の３項目で構成している。

① 商品名と形態 ／ ② 製造者又は発売元 ／ ③ 寸法

① 具体的な商品名や資料の形態を表記
製作年が分かる場合は（　）に年号付加

② 判明している当時の製造者名又は発売元を表記

③ 資料の寸法を以下のルールで表記
・立体物の場合　縦×横×奥行（又は深さ）mm
・平面物の場合　縦×横 mm
・適宜、Φ直径、H高さ、L長さを使用

★ 燐票は、寸法のみの表記にとどめている。
★ 商品名と製造者・発売元の漢字に関しては、可能な限り、当時の旧字体を使用している。

第1章
貿易図案

・外国商館
・輸入用茶
・生　糸
・燐　票

Foreign Firm

外国商館

嘉永6年(1853)、米国のペリー艦隊が浦賀に来航し、江戸幕府に開国を迫った。大砲をかまえた巨大な黒船の出現という予期しない大事件に見舞われた江戸の人々は、たちまち大混乱に陥った。その様子を当時の有名な落首は、「泰平の眠りを覚ます蒸気船(上喜撰)たった四はいで夜も眠れず」と伝えている。蒸気船を当時の銘茶、上喜撰に掛けて詠んだ句である。その脅威が発端となり、安政5年(1858)に幕府はアメリカをはじめ、ロシア、オランダ、イギリス、フランスの5ヶ国と修好通商条約を締結、箱館(函館)、神奈川(横浜)、新潟、兵庫(神戸)、長崎の五港の開港と、江戸、大坂の2市の開市を決定し、長年に渡る鎖国に終止符が打たれた。横浜が開港されたのが、条約締結の翌年安政6年(1859)、朝廷の許可を得るのに手間取った神戸も、慶応3年(1868)には開港にこぎつけた。横浜、神戸とも未開に等しい土地を突貫工事で港に仕立たてたものであるが、明治維新後、この2港が日本の東西の貿易の中心地として大いに発展することになる。横浜や神戸に世界中から集まった外国商人は、港に隣接したエリアに造成された「居留地」内での商取引、居住が許された。そこには西洋様式の外観を持つ商館が立ち並び、さながら異国のような様相であった。商館では綿製品や化学製品、機械類等の外国製品の輸入や、生糸、製茶等の国内製品の輸出がとり行われると同時に、そこを窓口として、西洋の文化や思想が堰を切った様に流入し、日本の近代化に大きな影響を及ぼした。その後、明治32年(1899)に居留地制度は解消されるが、外国人商館は昭和の初期まで繁栄を続けた。

居留地では商品とともに商館名をあしらったラベルが流通していた。現在そのラベルについての文献は乏しく、作者や印刷過程はつまびらかではないが、外国人デザイナーが日本に思いを馳せて浮世絵等を参考にしながら、デザインしたものが多いように思われる。図案は日本の伝統や文化を素材にしたものが主流であり、その構図や色使いは非常に大胆で迫力に満ちている。石版印刷のA5サイズ程のラベルから、大きな野望を持ちはるばる極東の地に赴いた外国商人のパワーが伝わってくるようである。そして、そのデザインはその後の日本の近代商業デザインにも少なからず影響を与えている。

横浜居留地の風景絵葉書／91×140

商館ラベル／187×139

商館ラベル／コンス商会（英国）／193×147

商館ラベル／フィンドレー，リチャードソン商会（英国）／191×136

商館ラベル／シモン，エバース商会（ドイツ）／199×148

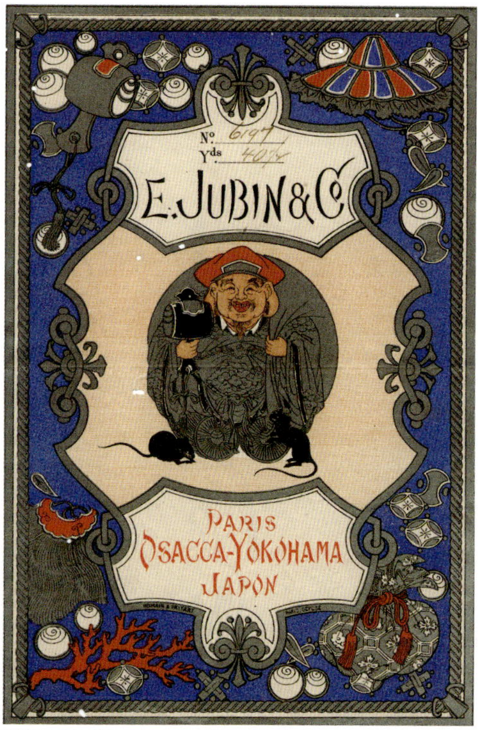

商館ラベル／E.JUBIN&Co（フランス）／206×140

商館ラベル／ランカルトクラインチルト商会／193×133

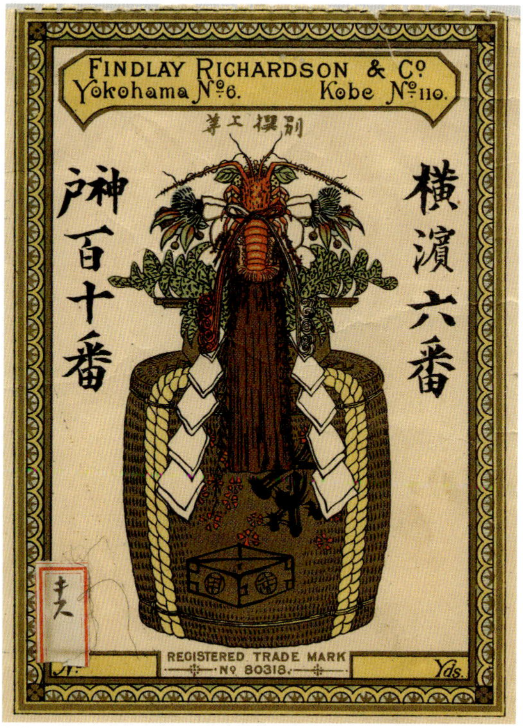

商館ラベル／フィンドレー，リチャードソン商会（英国）／180×134

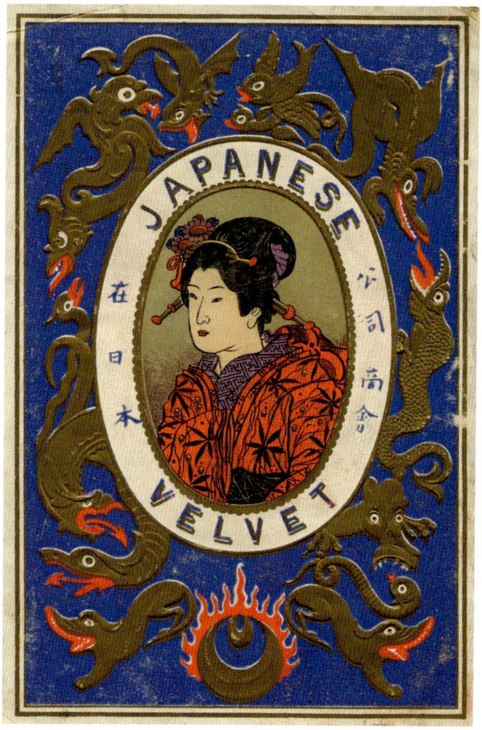

商館ラベル／166×111

商館ラベル／
ランカルトクラインチルト商会／
190×131

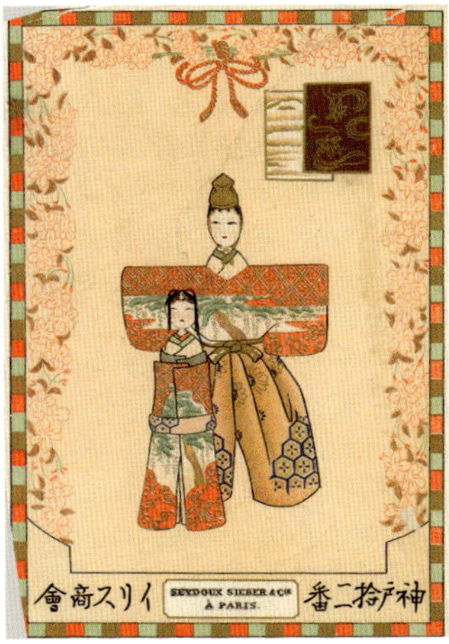

商館ラベル／イリス商会（フランス）／
211×150

商館ラベル／ハチソン商会／202×150

商館ラベル／
シモン，エバース商会（ドイツ）／
182×125

商館ラベル／ストラチャン商会（英国）／
198×138

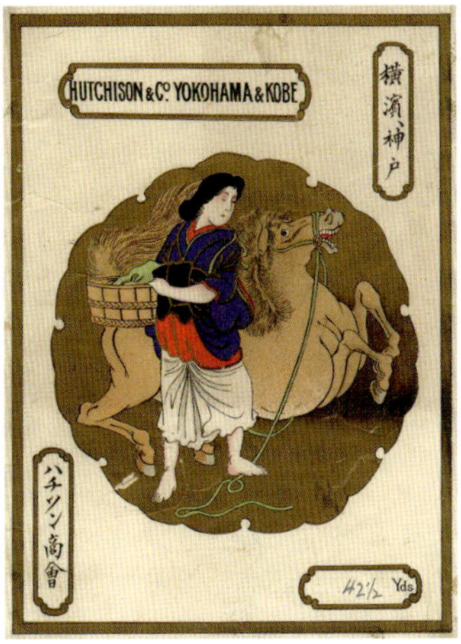

商館ラベル／ハチソン商会／209×155

商館ラベル／ストラチャン商会（英国）／
192×137

商館ラベル／ストラチャン商会（英国）／
196×142

商館ラベル／ストラチャン商会（英国）／
206×148

商館ラベル／ランカルトクラインチルト商会／189×129

商館ラベル／ブルウル兄弟商会／198×140

商館ラベル／コンス商会（英国）／193×144

商館ラベル／コンス商会（英国）／195×146

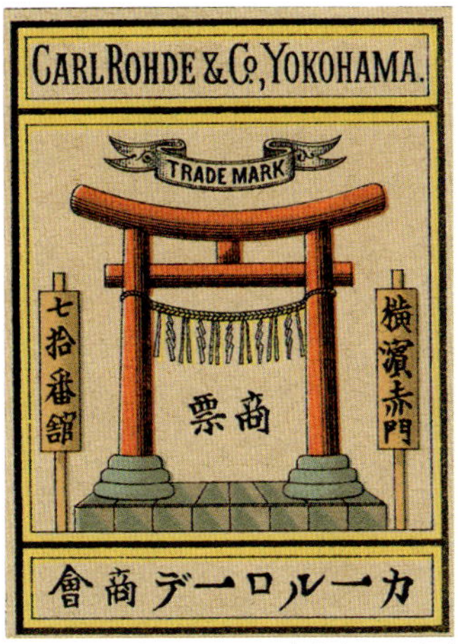

商館ラベル／カールローデ商会（ドイツ）／
67×49

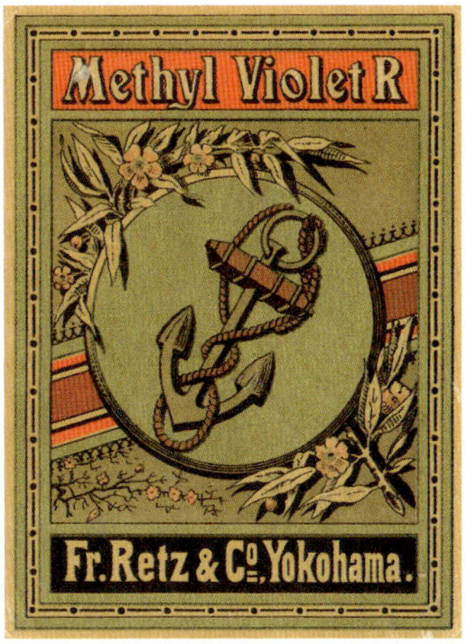

商館ラベル／レッツ商会（ドイツ）／
134×100

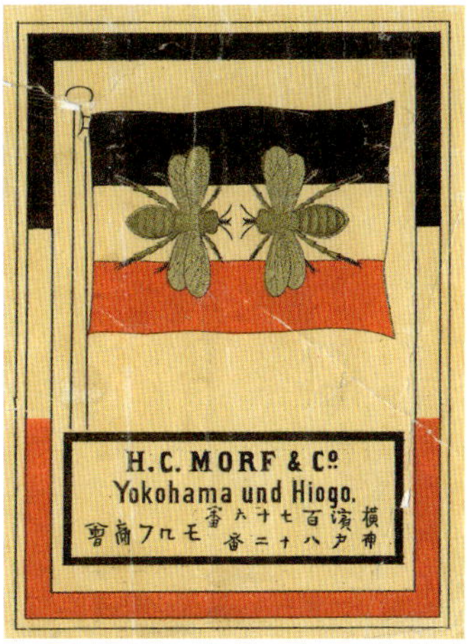

商館ラベル／モルフ商会（スイス）／
120×91

商館ラベル／ヘアマン，カン本店（フランス）／
191×147

商館ラベル／
シーベル，ブレンワルド商会／213×143

商館ラベル／ストラチャン商会（英国）／
156×110

商館ラベル／シモン，エバース商会（ドイツ）／
232×173

商館ラベル／シモン，エバース商会（ドイツ）／
213×167

商館ラベル／200×148

外国人居留地は整然と区画割りされ、それぞれの区画には地番が付けられた。その数は、国内の二大居留地である横浜山下居留地で 276 番、神戸居留地が 126 番まで及び、そこには洋風の商館や領事館、ホテル等が建設され、貿易活動の拠点となった。商館の数を国別に見ると、横浜居留地 1 番地に商館を構えた東アジア地域最大のジャーディン・マセソン商会（通称、英一番館）を筆頭にイギリス系資本が圧倒的に多く、全体の約半数を占めていた。これに、アメリカ、ドイツ、フランス、オランダ等が続いた。イギリス系商館が多いのは、当時のイギリスの国力が世界レベルで最も強大であったことを示している。外国商館のラベルの中には「横浜〇〇番、神戸△△番」というふうに地番を明記しているものが多く見られ、所在地を示す手段として地番が一般的に使用されていたことが分かる。またラベルに書かれた日本語は、意外と稚拙なため、ラベルのデザインが外国人の手によるものであった事が推測される。

商館ラベル／エム，ラスペ商会（ドイツ）／143×175

商館ラベル／テレジング商会（米国）／
210×150

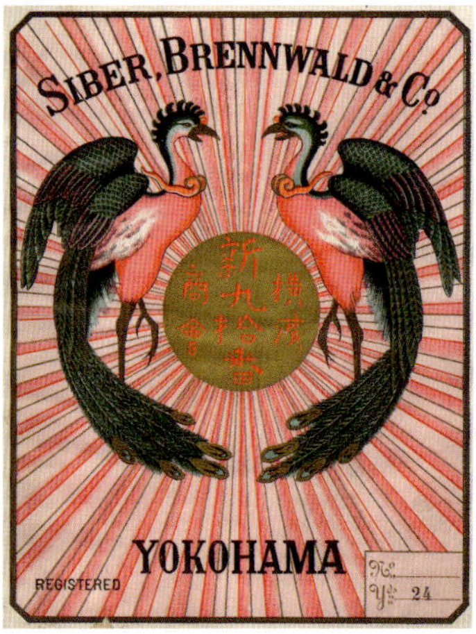

商館ラベル／
シーベル，ブレンワルド商会（スイス）／
225×174

商館ラベル／
ヘットリーリートル商会（フランス）／
190×139

商館ラベル／130×97

商館ラベル／シモン，エバース商会（ドイツ）／
185×149

商館ラベル／モー商会（英国）／134×100

アーレンス商会は明治時代のドイツ系商社の中で最も成功した企業と言われている。横浜開港資料館・横浜居留地研究会編『横浜居留地と異文化交流』によると、創業者のヒンリッヒ・アーレンスは慶応3年（1867）に来日、一時、ドイツ系グッチョー商会に勤めた後、明治4年（1869）にアーレンス商会を設立、明治6年（1871）には横浜29番に店を開業したとされる。明治11年（1879）には、神戸10番にもグッチョー商会の後を受けて開業している。日本語にも通じたアーレンスは仲介人抜きで商取引を行い、日本から、米、皮、工芸品等の輸出、ドイツから織物、機械、染料、薬品等の輸入を行った。特に染料に関しては、カール、ローデ商会、ベッカ商会とともに「染料輸入3館」と呼ばれた。明治15年（1882）には、清酒用の防腐剤として使える独ハイデン社のサルチル酸の国内一手販売権を田邊五兵衛商店（現、田辺三菱製薬）に与え、全国の酒造家向けのヒット商品となった。

商館ラベル／アーレンス商会（ドイツ）／117×154

日の出鶴亀印サルチル酸の箱／
アーレンス商会（ドイツ）／130×107×107

商館ラベル／グッチョー商会（ドイツ）／138×212

商館ラベル／アーレンス商会（ドイツ）／
168×131

商館ラベル／アーレンス商会（ドイツ）／
62×120

ポスター／アーレンス商会（ドイツ）／515×665

商館ラベル／シモン，エバース商会（ドイツ）／191×148

商館ラベル／GYSIN & SCHOENINGER（フランス）／206×146

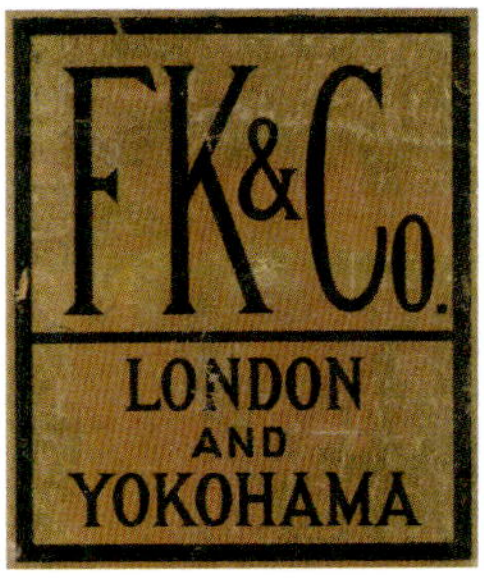

商館ラベル／FK&Co（英国）／157×135

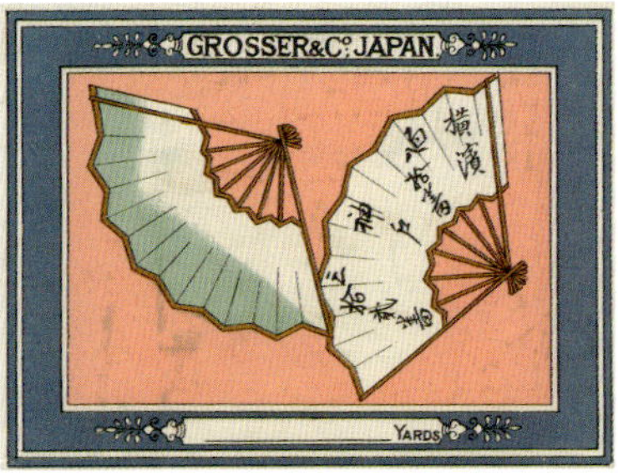

商館ラベル／コロッスル商会（ドイツ）／108×144

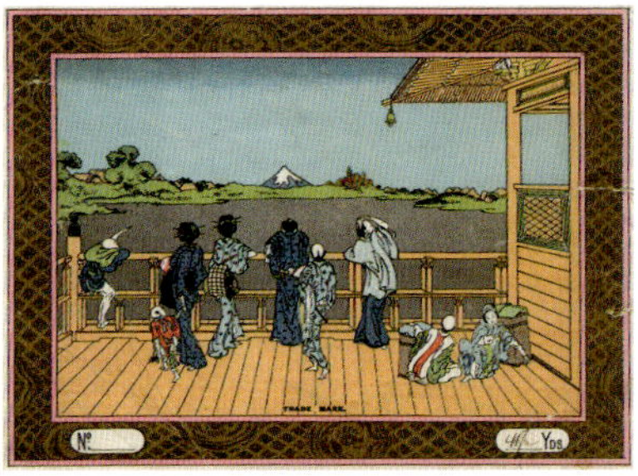

商館ラベル／136×186

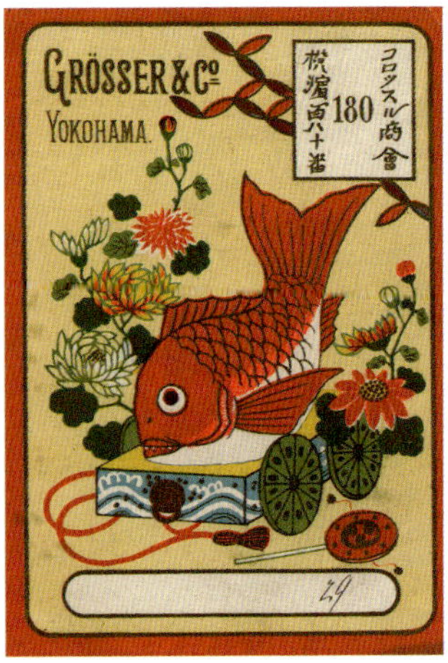

商館ラベル／コロッスル商会（ドイツ）／139×97

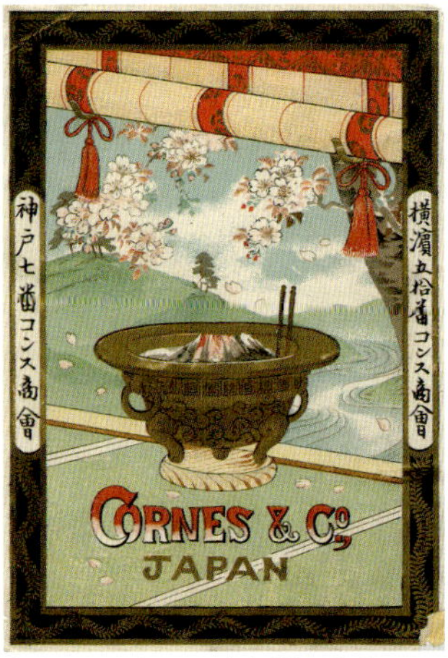

商館ラベル／コンス商会（英国）／192×135

商館ラベル／デラカンプ商会／176×146

横浜が開港した安政6年（1859）に始まったお茶の輸出は、明治から大正にかけて隆盛を極め、外国商館を通じて海外に出荷された。輸出先は当初はイギリスやフランスであったが、ヨーロッパでは緑茶が嗜好に合わないため、やがてアメリカ、カナダが中心となった。横浜からは主に静岡産のお茶が、神戸からは京都や滋賀産のお茶が輸出され、当時の我が国の輸出品目の中では、生糸に次ぐ主力商品であった。明治32年（1899）には、茶の最大の産地である静岡県内の清水にも国際港がつくられ、茶貿易の中心基地として発展した。輸出に使われた茶箱には、30ｃｍ角程度の大型の茶ラベルが貼られた。これらのラベルには江戸時代からの浮世絵の技法が活かされており、薄い上質紙に木版多色印刷されたもので、日本の風物を素材に西洋文字が配されたものが多い。周囲に模様縁取りがあるのも特徴である。英語やフランス語等の西洋文字を使用している事から、茶ラベルは通称「蘭字」と呼ばれた（蘭とは中国語で西洋を表す）。

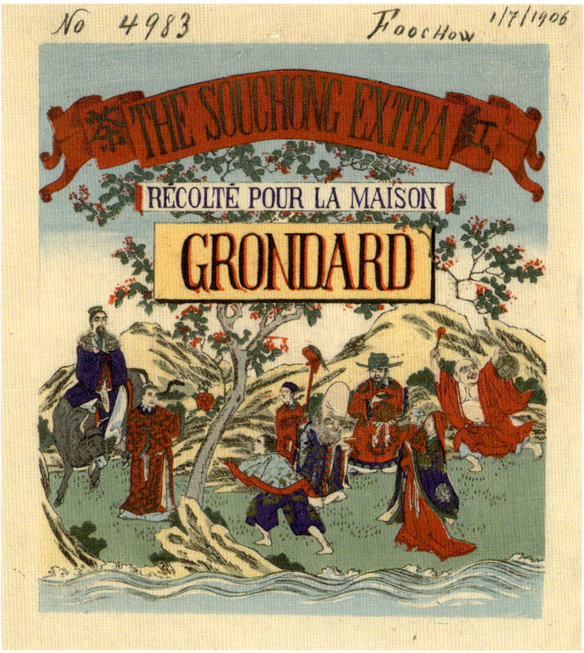

輸出用茶ラベル／263×243

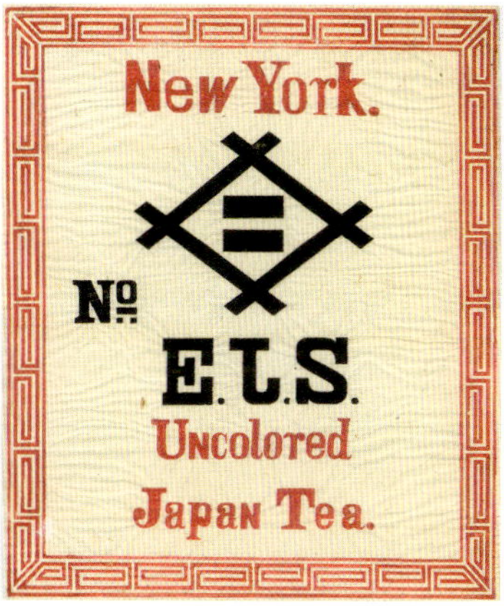

輸出用茶ラベル／395×338

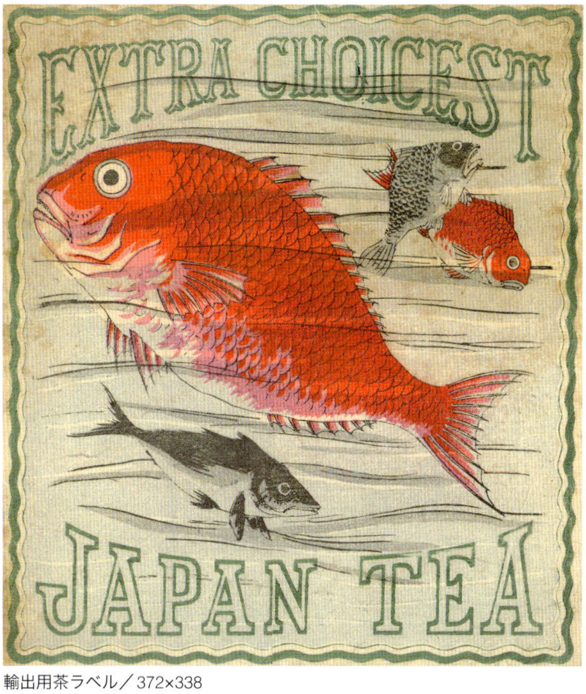

輸出用茶ラベル／372×338

輸出用茶ラベル／359×280

Law Silk

生糸

明治から昭和初期にかけての日本の輸出商品の代表と言えば生糸である。欧米でドレスやスカーフ等の高級衣料の原料として利用されていた。幕末の開港直後、日本の生糸に目をつけた外国商人たちの手によって輸出が始まったのだが、折りしもヨーロッパの主要養蚕地であるフランス、イタリアの生産量が蚕の伝染病の影響を受け大きく落ち込み、アジア産に期待が寄せられていた時期だった。そのため質の良い日本の生糸はたちまち莫大な量が横浜港より輸出されるようになり、開港の翌年には、横浜港からの全輸出品のうち約６割を占めていたと言われる。製糸業は当初、家内工業によって支えられていたが、明治に入ると政府の殖産興業策により近代化が図られた。上州には明治５年（1872）に、最新設備を備えた官営富岡製糸工場が建設された。フランス人技師のポール・ブリューナーを迎え、総工費20万円を掛けたレンガ作りの広大な工場には、約300台のフランス製繰糸機が設置されたという。生産は、全国から集まった数百人の工女が支えた。その後、長野、山梨等の養蚕地にも次々と製糸工場が立地され、製糸業は日本を代表する産業へと成長していった。輸出先は、当初は欧州向けが多かったが、明治17年（1884）にそれまで1位であったフランスをアメリカが上回ってからは、もっぱらアメリカ向けが中心となった。それ以降、大正時代にかけて製糸業の繁栄は続いたが、昭和に入ると同４年（1929）に起きた世界大恐慌の影響をまともに受けてしまい、失速してしまう事になる。

輸出生糸のラベルのデザインは多岐に渡るが、客先に好まれるように、富士山、龍、鶴、桜、天女等、日本的なモチーフが多い。全国の製糸工場の数はピーク時に三千を越えていたと言われるので大量のラベルが流通していた事になる。その中には緻密にデザインされたものも多く、商品イメージを高めるとともに生産者のプライドをも表現しているようである。

EXPORTERS RE-REELING ROOM FOR INSPECTION.

製糸工場の絵葉書／91×140

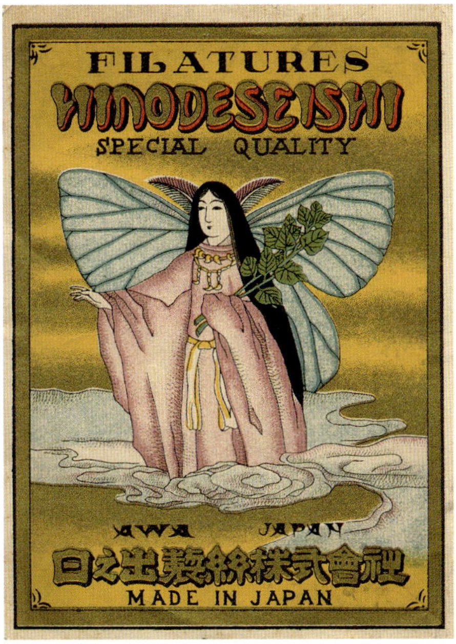

生糸ラベル／日之出製糸／133×98

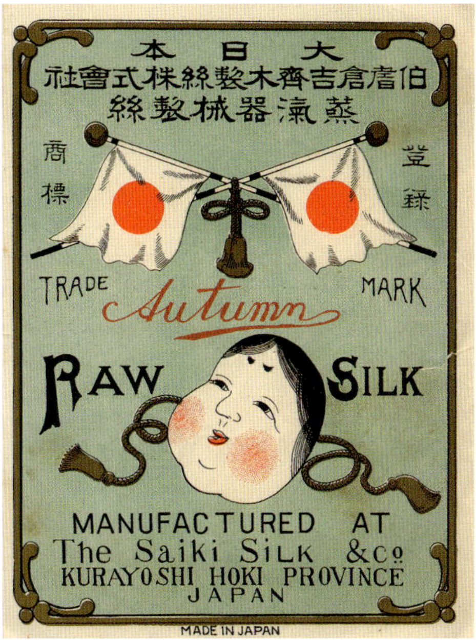

生糸ラベル／齊木製糸／147×114

生糸ラベル／
NOKKEZU KUMIAI SEISHI／
114×80

生糸ラベル／
KOMATSU COMPANY／
107×79

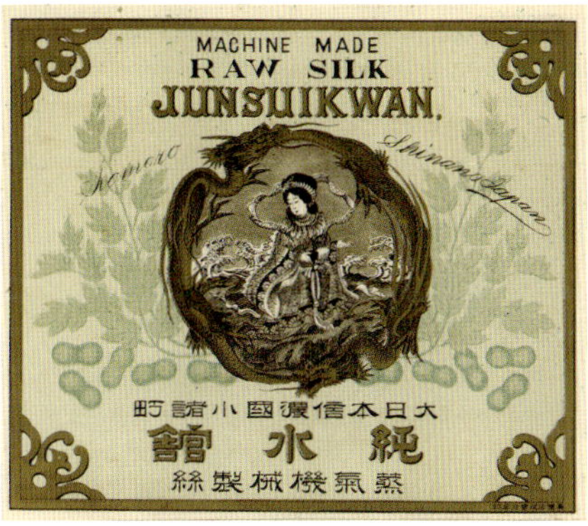

生糸ラベル／純水館／126×148

郡是製絲株式会社（現グンゼ株式会社）は、京都府丹波地方の何鹿郡（いかるがぐん）において、波多野鶴吉らが明治29年（1896）に設立した製糸工場である。設立主旨は、地元に強力な製糸業を興す事により、養蚕業を含めた蚕糸業全体を発展させようという何鹿郡の強い「郡是」に基づいている。即ち、糸の製造能力を上げる事により、繭の生産量をも増大させようという計画であった。丁度その頃、日本製の生糸は品質が低いとアメリカで評判を落としていた時期であったが、郡是製絲は、品質の良い輸出用生糸の生産に力を注ぎ、世界的信用を得て発展を遂げた。蚕糸業の黄金期と呼ばれる大正時代には、長野県の片倉製糸と並ぶ世界屈指の企業にまで成長した。左掲の「山鳥」ラベルは、『グンゼ100年史』によると、輸出向け一等品に明治31年（1898）から付けられた商標のようである。

生糸ラベル／郡是製絲／114×83

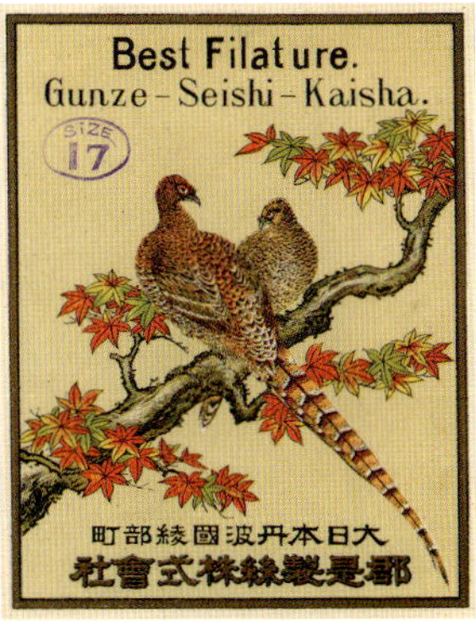

生糸ラベル／郡是製絲／104×81

生糸ラベル／大成社／126×148

生糸ラベル／小野社／133×149

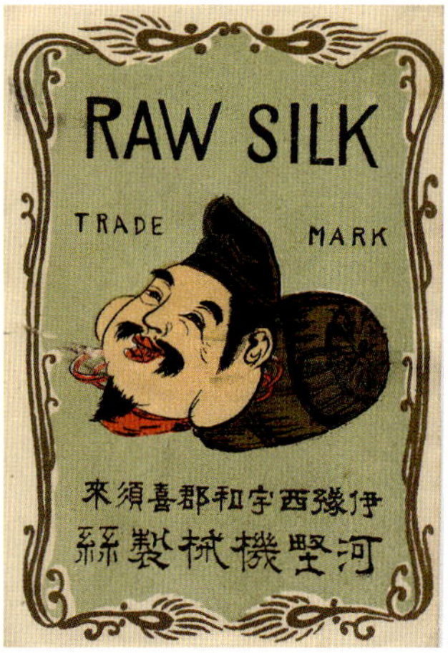

生糸ラベル／河堅機械製糸／129×90

生糸ラベル／龍興社／115×83

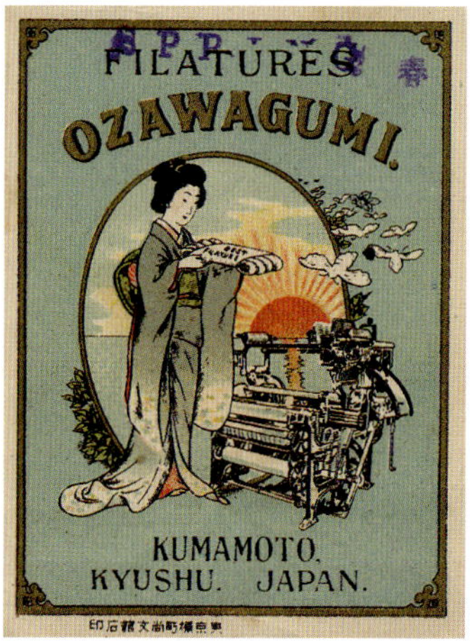

生糸ラベル／OZAWAGUMI ／96×73

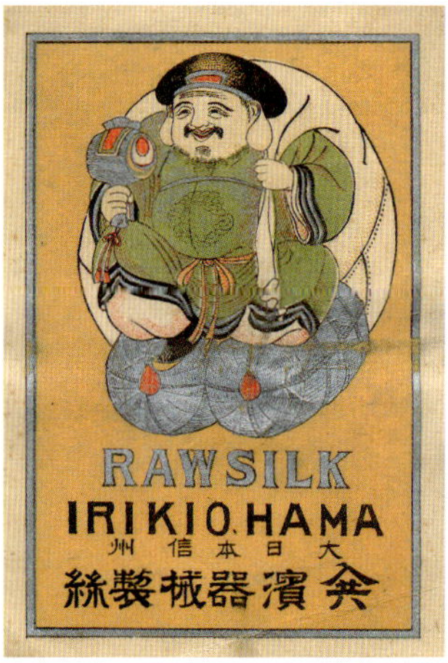

生糸ラベル／濱器械製糸／123×87

生糸ラベル／改良社／145×120

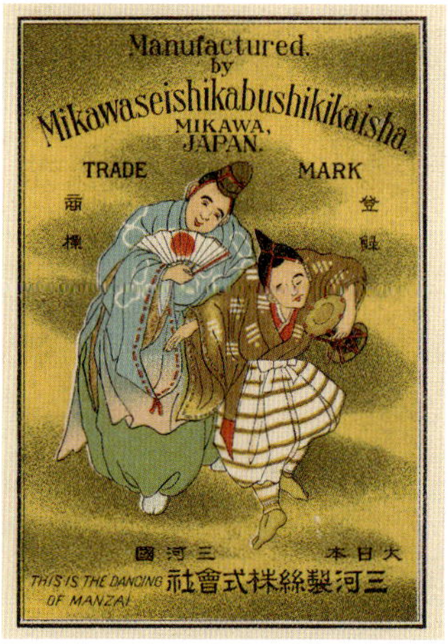

生糸ラベル／三河製糸／109×78

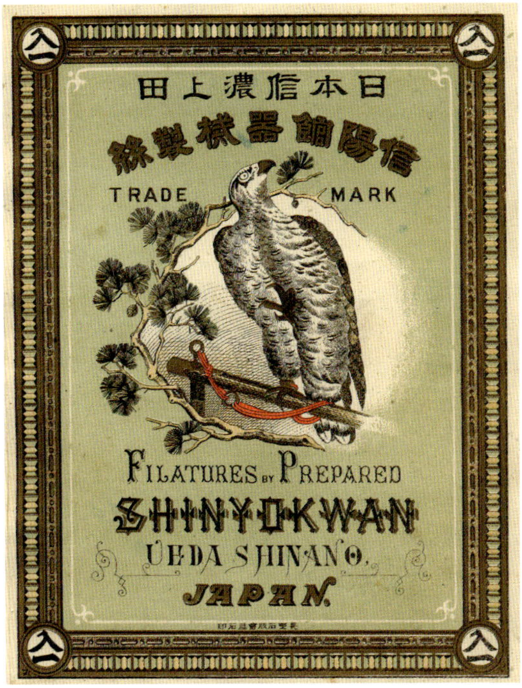

生糸ラベル／信陽館／155×118

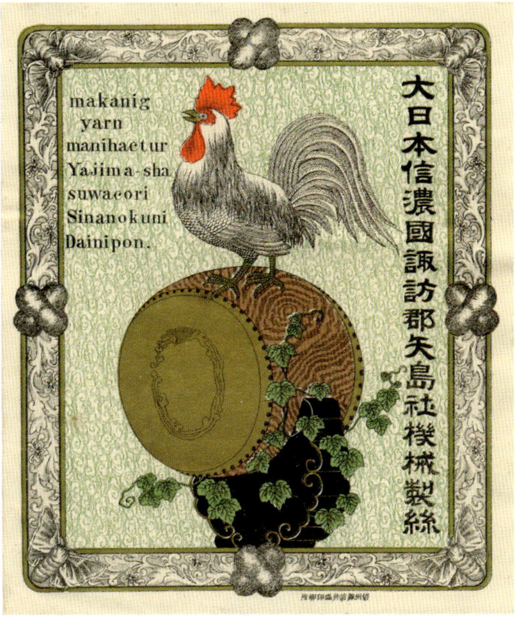

生糸ラベル／矢島社／146×125

生糸ラベル／俊明社／155×117

生糸ラベル／東行社／150×115

生糸ラベル／CHOSHINSHA／157×129

生糸ラベル／中堅日出松／140×110

生糸ラベル／信西社／163×121

生糸ラベル／三寶館／169×127

生糸ラベル／蚕業社／125×146

生糸ラベル／須藤器械製糸／109×79

生糸ラベル／伊那製糸／133×162

生糸ラベル／朝陽社／121×150

生糸ラベル／東英社／158×106

生糸ラベル／白鶴社／135×90

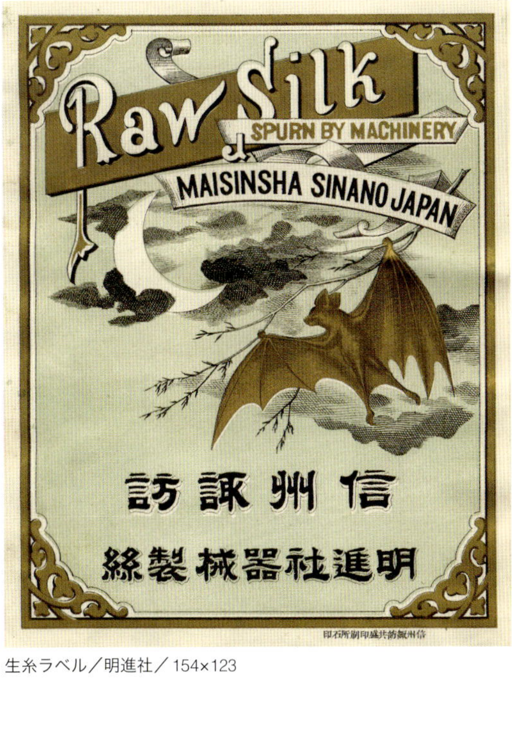

生糸ラベル／明進社／154×123

生糸ラベル／肥後製糸／136×106

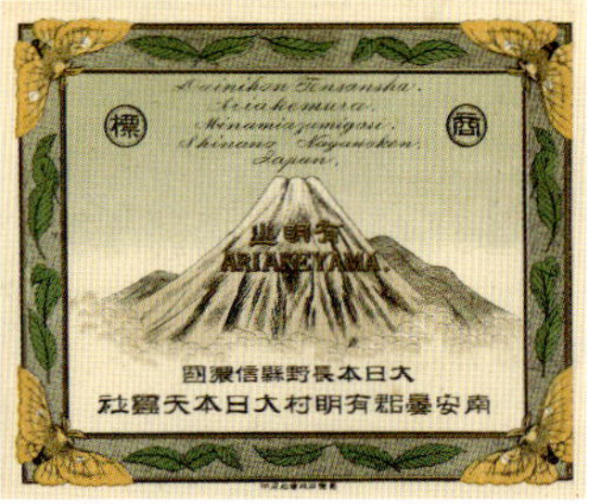

生糸ラベル／大日本天蚕社／116×135

生糸ラベル／山陽製糸／77×107

生糸ラベル／得信社／122×155

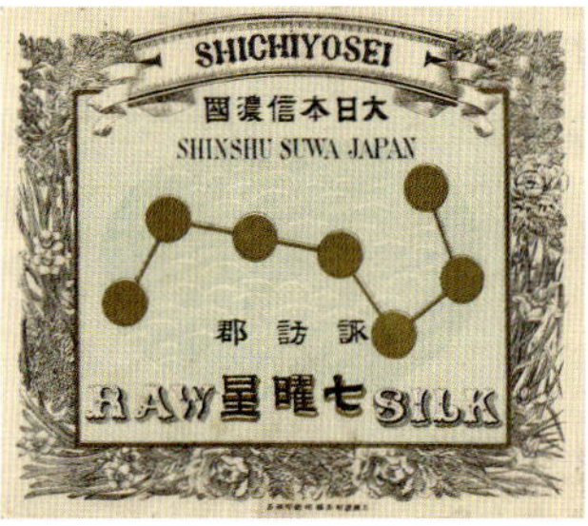

生糸ラベル／七曜星／126×147

生糸ラベル／龍上館／104×135

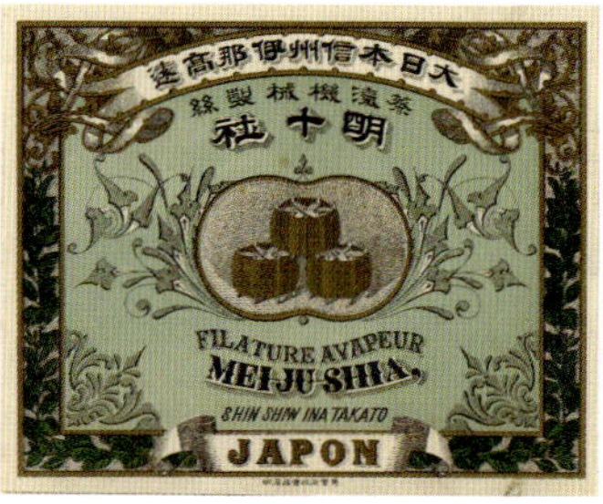

生糸ラベル／明十社／112×141

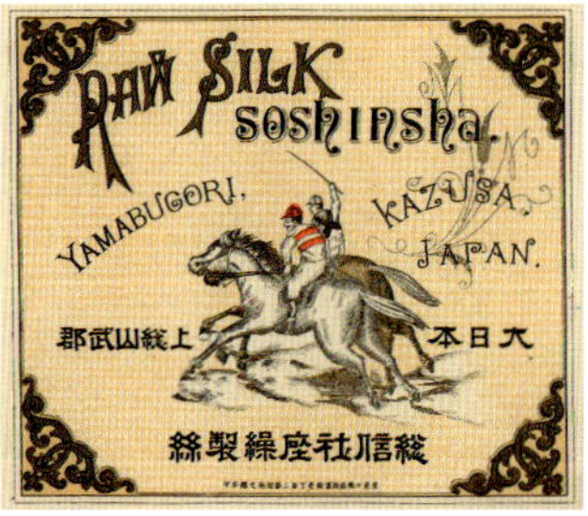

生糸ラベル／総信社／169×127

生糸ラベル／擴益社／97×129

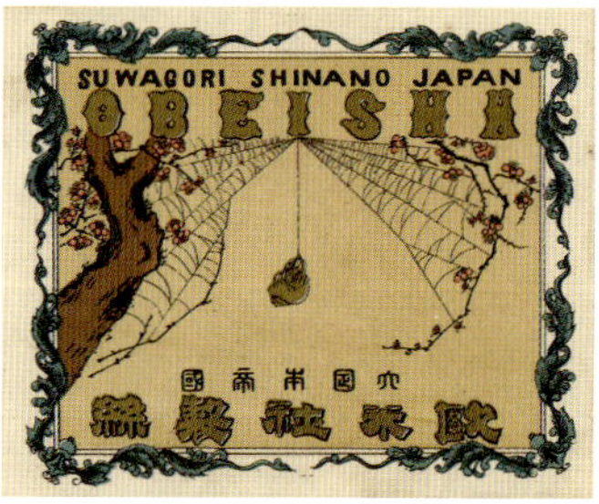

生糸ラベル／欧米社／116×141

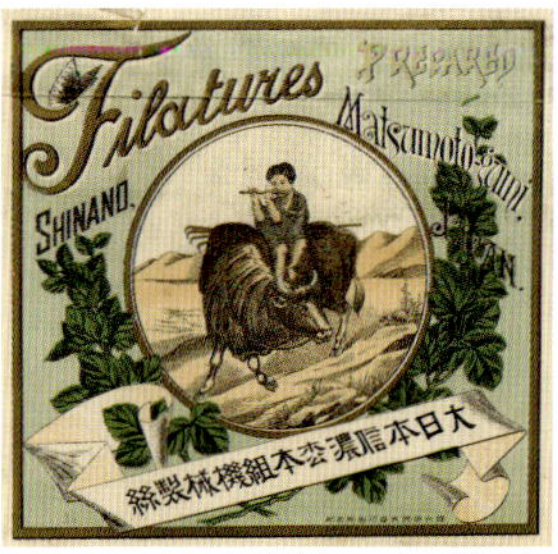

生糸ラベル／信濃杢本組／143×151

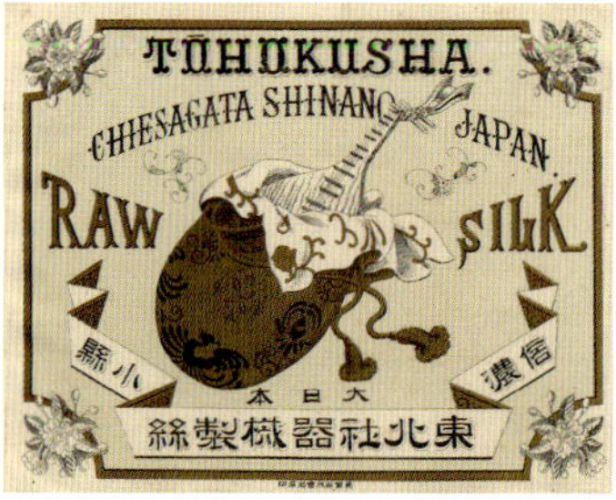

生糸ラベル／東北社／116×147

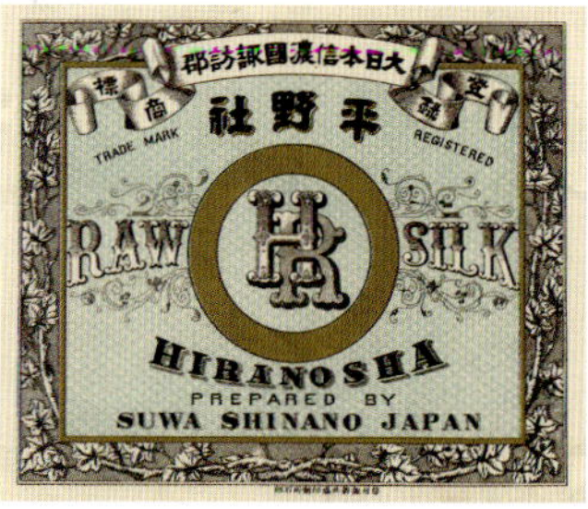

生糸ラベル／平野社／126×153

生糸ラベル／佐屋川製糸／108×76

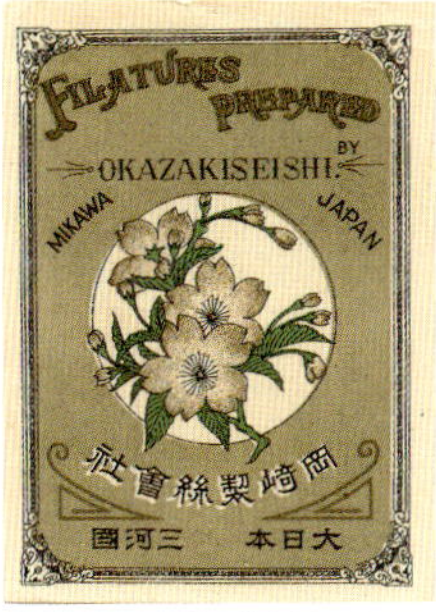

生糸ラベル／岡崎製糸／85×63

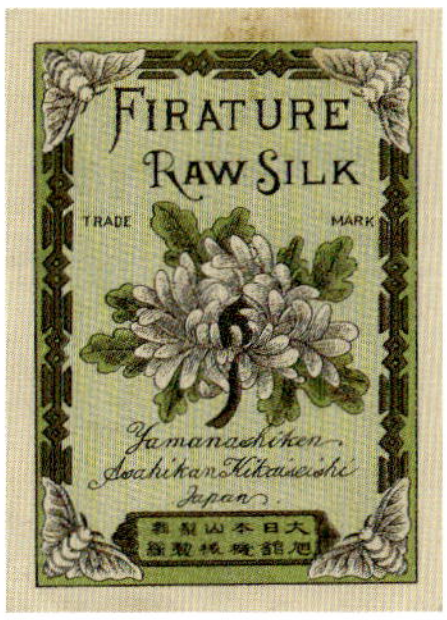

生糸ラベル／旭館／95×70

生糸ラベル／大澤製糸所／107×78

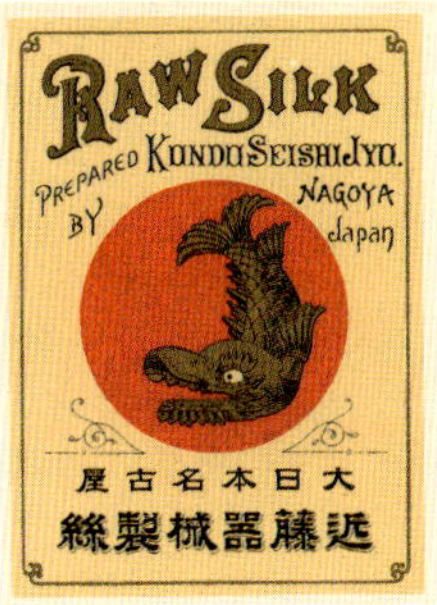

生糸ラベル／近藤器械製糸／102×76

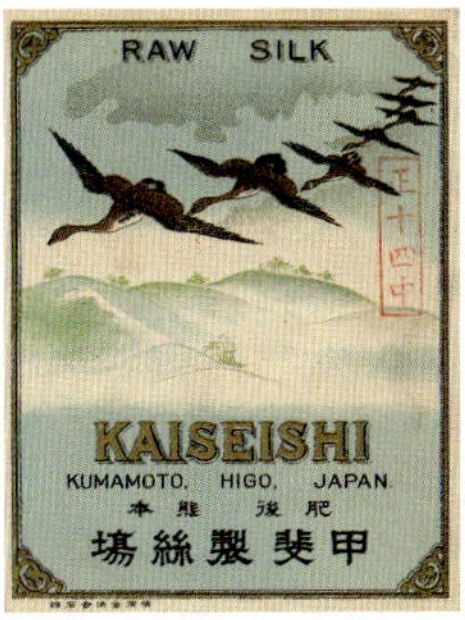

生糸ラベル／甲斐製糸／127×99

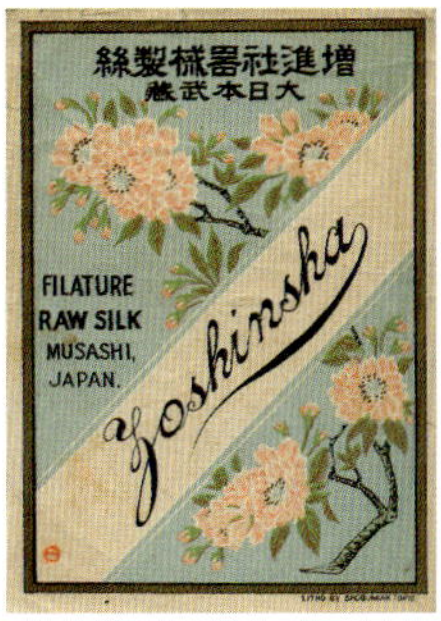

生糸ラベル／増進社／93×68

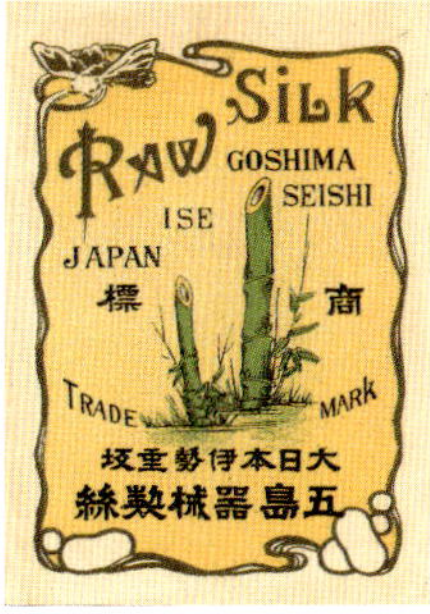

生糸ラベル／五島器械製糸／116×85

生糸ラベル／ANJO YAMAMARU／120×85

生糸ラベル／木曽川製糸／96×69

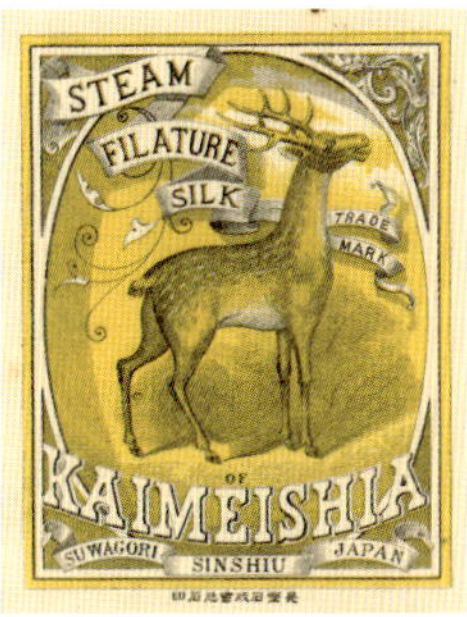

生糸ラベル／KAIMEISHIA／86×68

生糸ラベル／TSUTSUISEISHIJO／108×78

生糸ラベル／YAMAJIU SEISHI／109×78

生糸ラベル／海老原製糸／112×79

生糸ラベル／兼山製糸所／109×80

生糸ラベル／雙三製糸／109×76

Matchbox Labels

燐票

1855年にスウェーデンで発明された安全マッチが日本に入ってきたのは幕末の事である。それまで日本では火打ち石でおこした火を、先端に硫黄が塗られた「付け木」という薄板に点火させて運んでいたが、それとは比べようのない、マッチの便利さ、不思議さは当時の人々を大いに驚嘆させた。

マッチの国産化は意外と早く、フランス留学で技術を習得した金沢藩士の清水誠により明治8年(1875)に始まった。清水は、翌明治9年には、東京本所に新燧社(シンスイシャ)を設立し本格的な工場生産を軌道に乗せた。そこで生産されるマッチの品質は舶来品に引けを取らないほど優れていたようで、明治10年開催の第一回内国勧業博覧会では鳳紋賞牌を受賞している。マッチは比較的容易に量産が可能なのに加え、清水が製造方法を公開した事により、その製造工場は全国に造られ、生産量も増大した。それにより、内需を満たしただけでなく、明治11年には中国上海に輸出されるようにもなった。その後、マッチ産業の生産拠点は関西(特に兵庫・大阪)が中心となったが、中国、朝鮮、東南アジア、更には、ロシア、アメリカ、インドなどの大市場を相手に、ますます成長を遂げ、明治中期から大正までの間、日本を代表する輸出品となった。明治中期の品目別輸出額を例にとると、生糸、綿糸、茶に次ぐものであった。

マッチ箱に貼られる約3.5ｃｍ×5.5ｃｍのラベルは燐票(本票と広告票に分かれるが本章で紹介するのは本票の方)と呼ばれ、そのデザインは、輸出先のクライアントの要望を反映したテーマを中心に描かれている。モチーフは、人物、動物、植物、地理、建物、乗物、道具等、考えられるあらゆるジャンルに及んでおり、雑多ではあるがエネルギッシュな摩訶不思議ワールドを形成している。独特な図案は人々を魅了し、明治30年代から戦前に掛けて燐票蒐集が全国的なブームとなり、各地で同好会が発足し、交換会も盛んに開催されたという。

マッチのチラシ(部分)／185×285

36×57

37×56

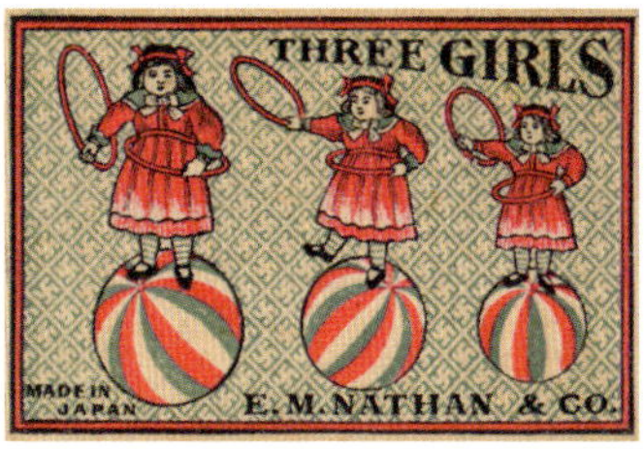

36×56

36×56

35×55

36×56

57×36

57×36

54×36

56×36

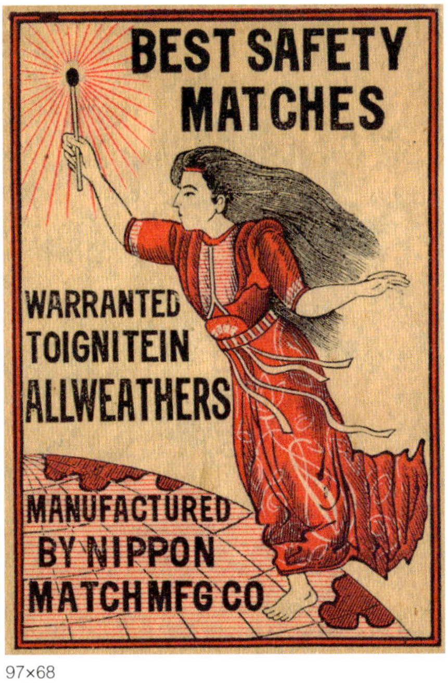

97×68

49×36

48×35

32×44

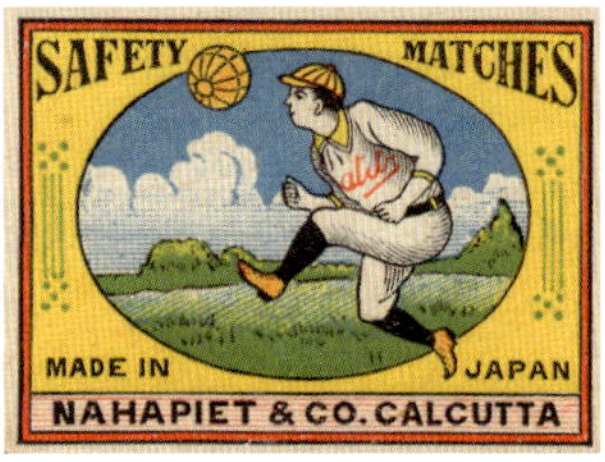

36×49

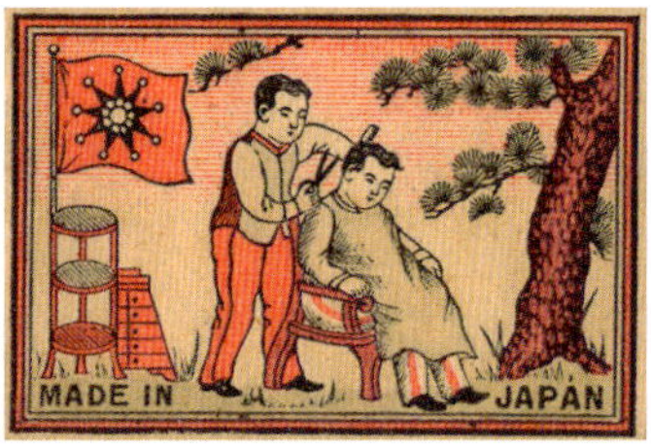

36×56

36×56

36×56

36×56

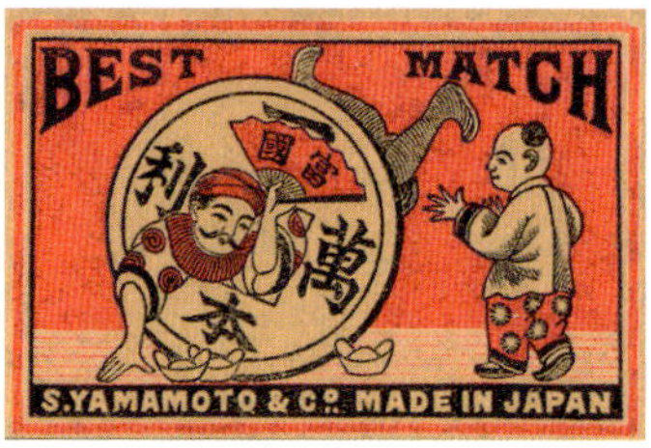

36×57

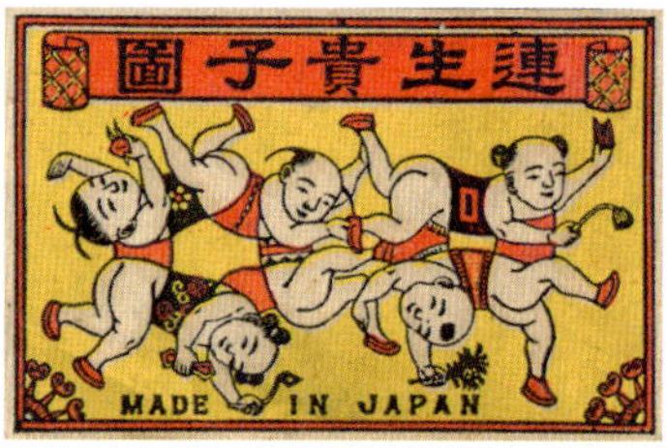

35×56

56×35

56×36

56×36

56×36

74×65

56×36

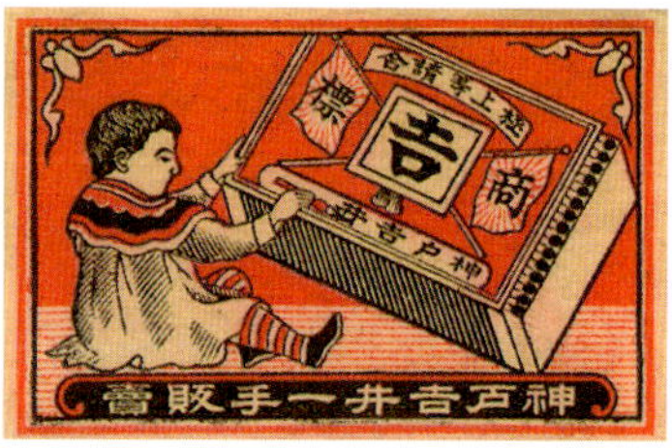

36×56

36×54

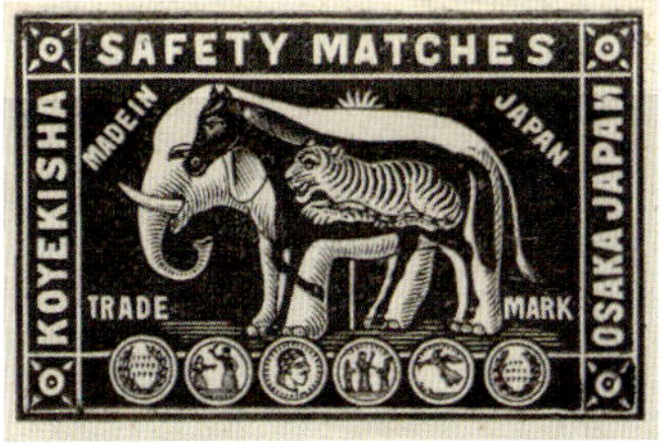

37×56

36×49

35×54

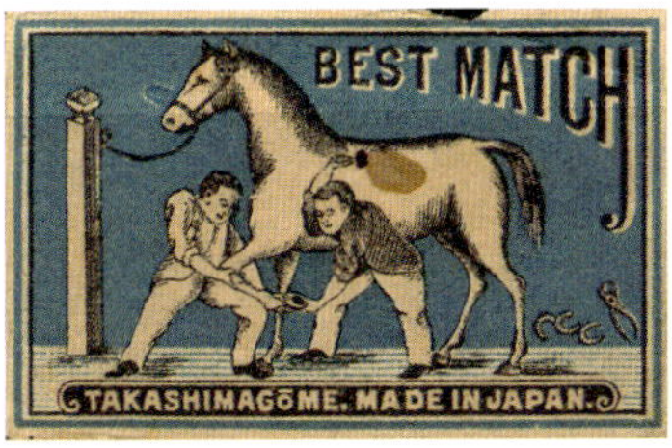

36×56

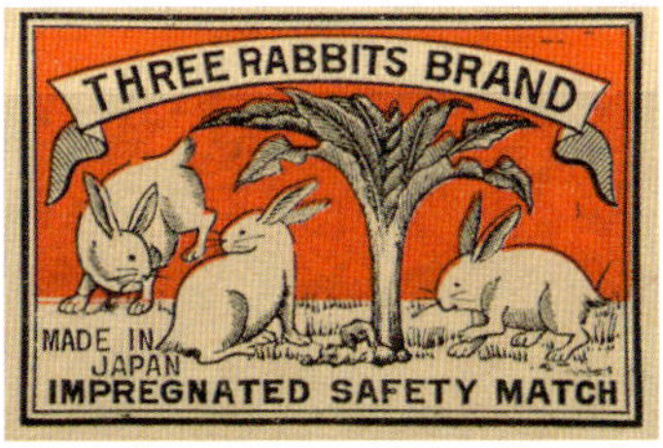

36×55

38×56

67×88

33×54

35×56

56×36

55×35

56×36

56×36

56×36

48×36

56×37

56×36

36×55

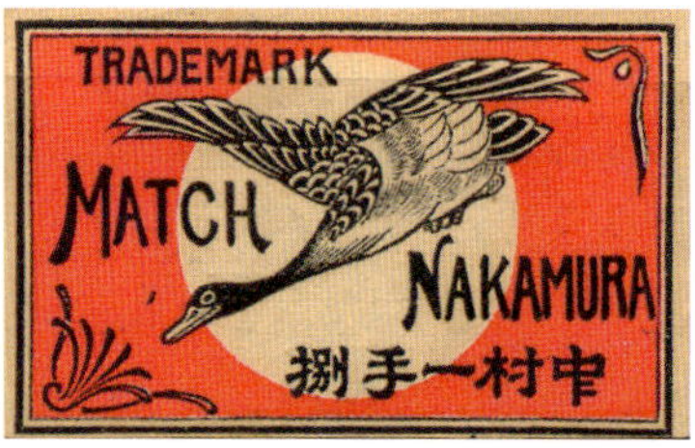

34×55

36×56

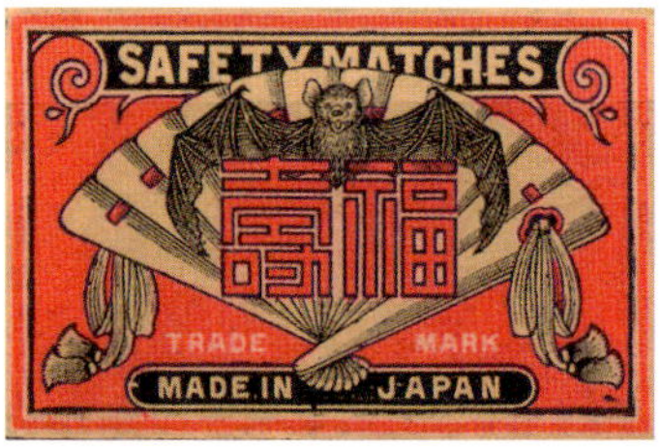

36×56

36×56

37×57

91×67

56×36

35×56

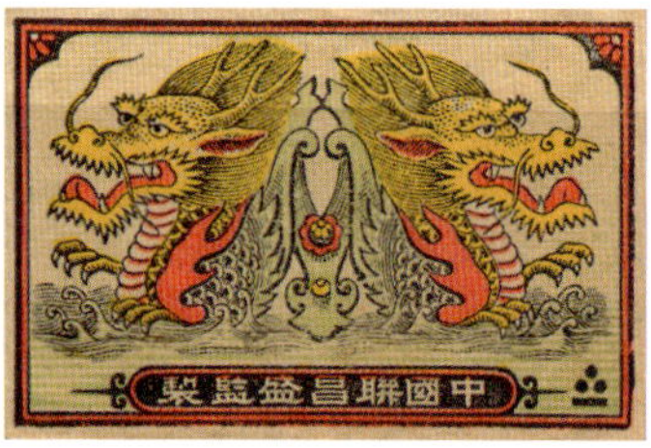

37×56

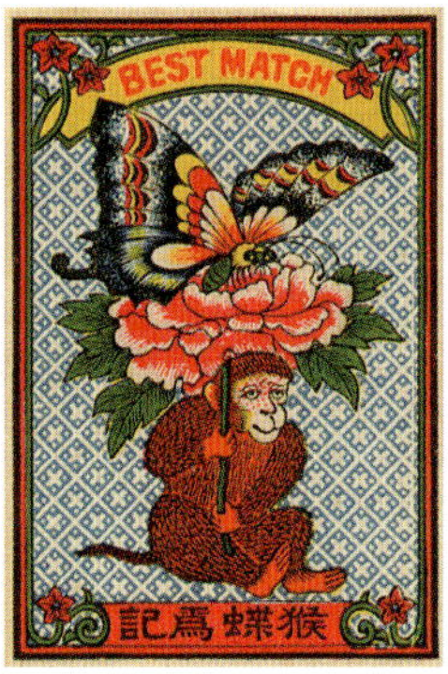

56×37

56×36

56×36

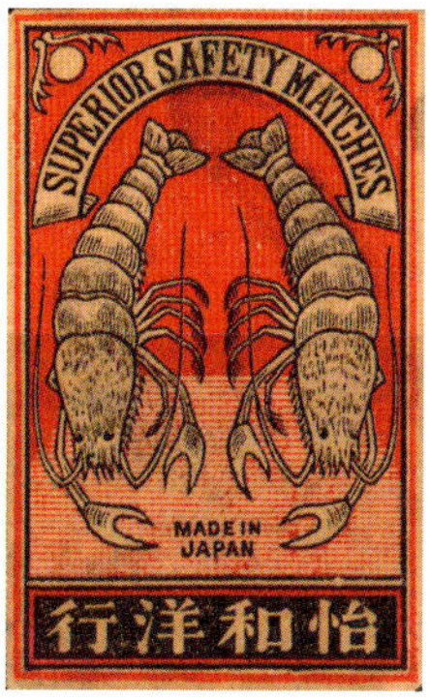

56×36

36×55

36×50

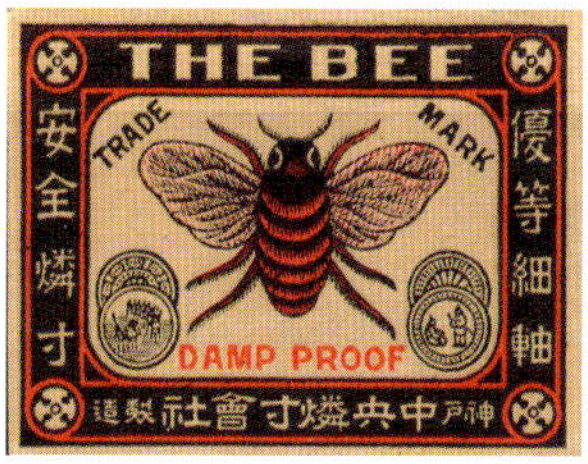

36×50

38×56

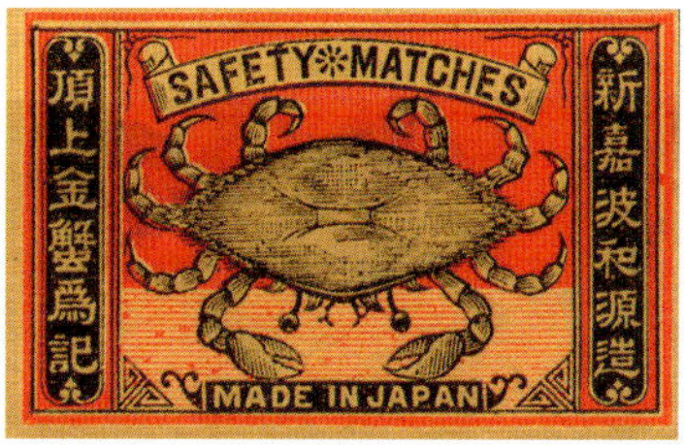

36×56

38×56

37×56

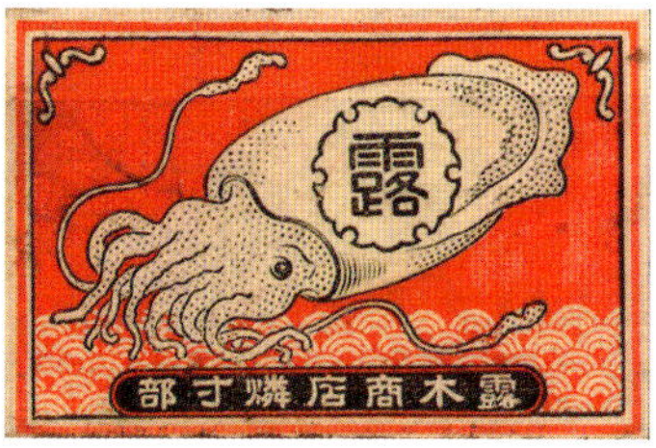

36×55

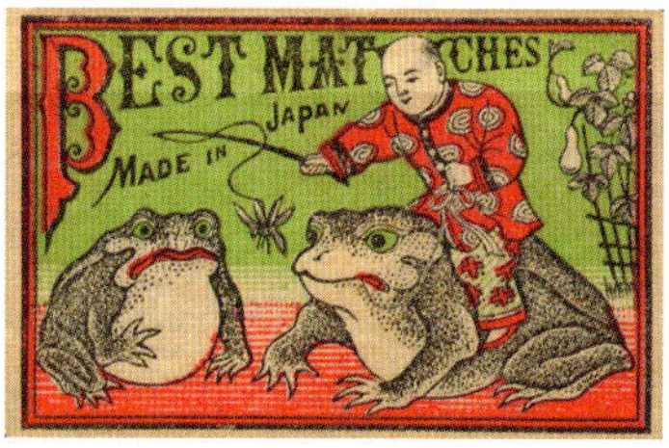

36×57

36×55

36×56

35×56

36×56

35×55

35×55

35×56

37×56

35×55

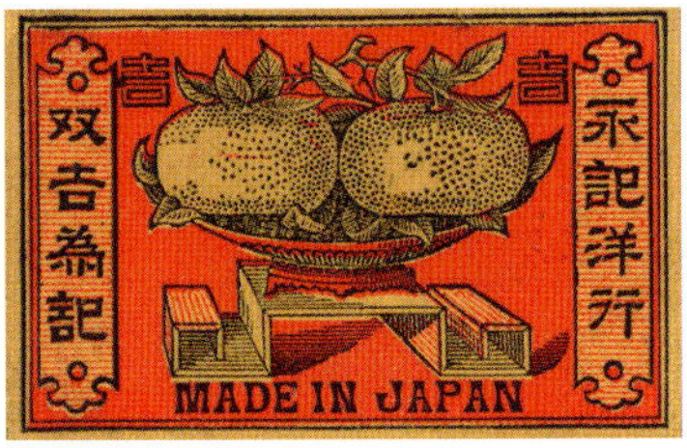

36×57

65×77

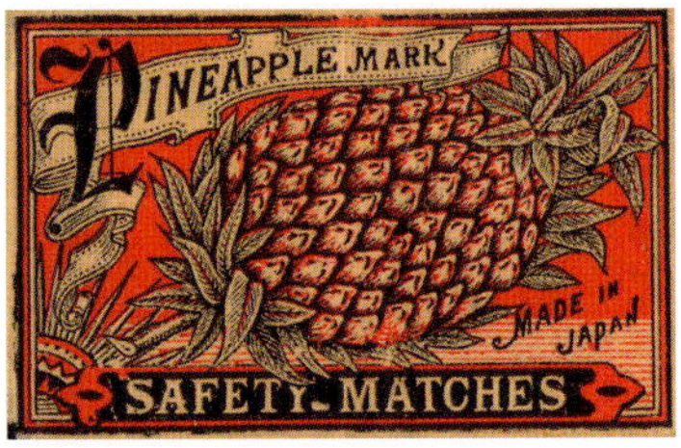

35×56

56×36

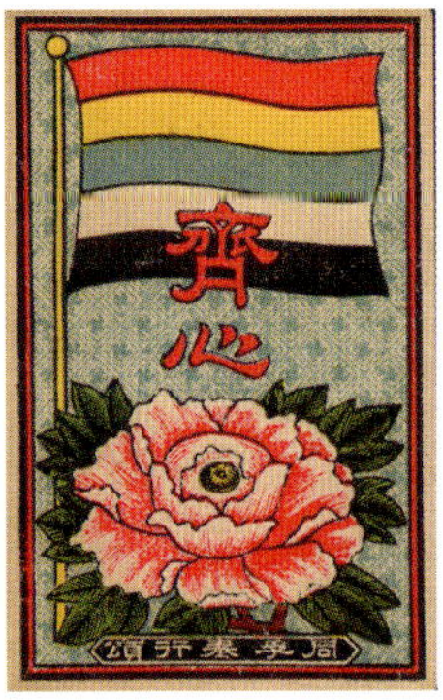

55×36

55×36

55×37

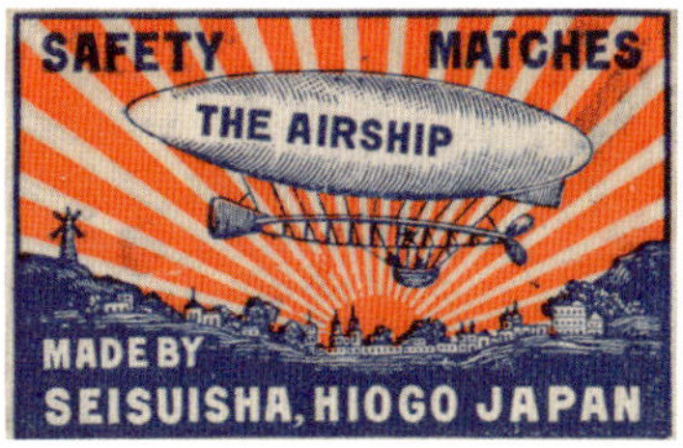

36×56

35×56

36×49

56×37

55×36

55×35

57×36

36×56

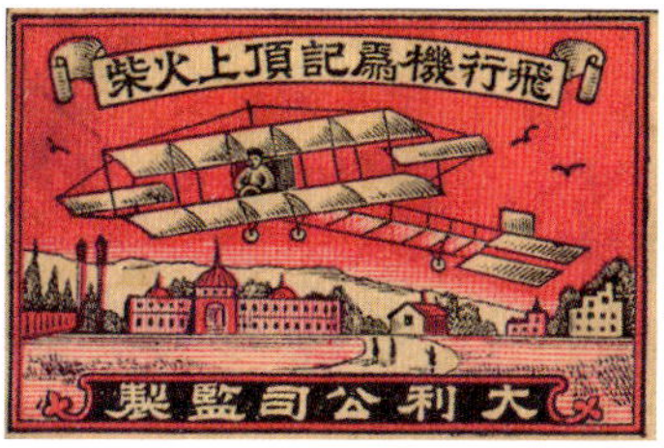

36×56

36×49

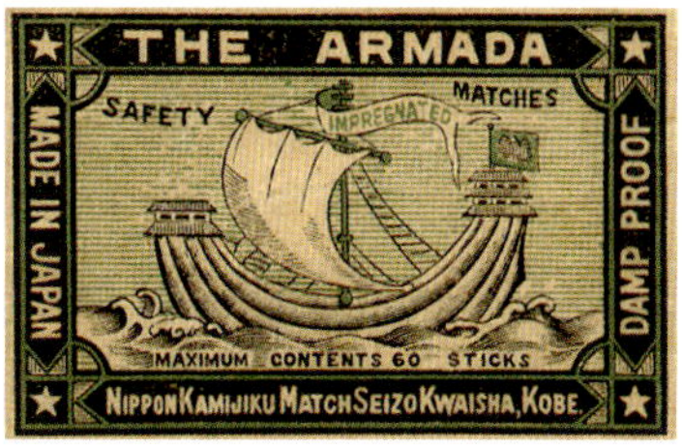

36×55

36×55

35×56

35×55

36×56

36×56

56×36

56×36

57×35

57×36

90×69

49×35

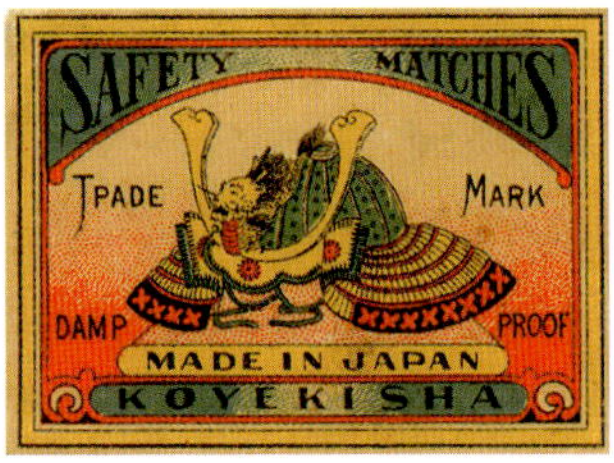

36×49

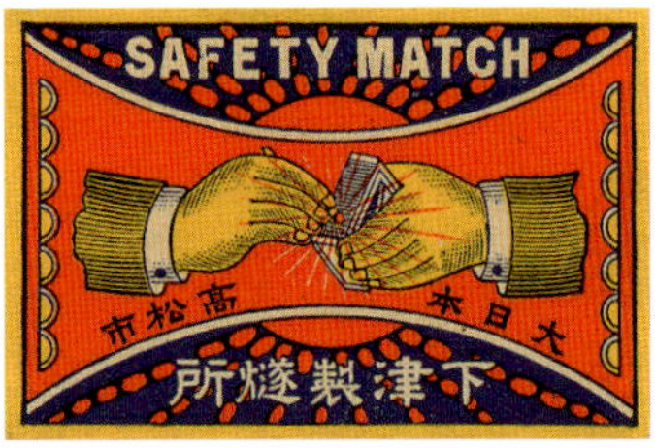

36×55

55×36

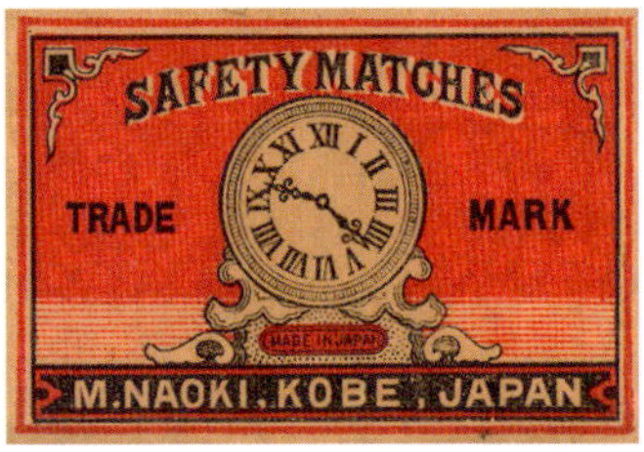

38×57

90×65

56×36

35×56

第2章

トイレタリー

- 化粧品
- 石　鹸
- 洗　粉
- 歯　磨
- 月経帯
- パウダー

Cosmetics 化粧品

日本の伝統的な化粧は飛鳥、奈良時代に隋や唐から伝えられたものに始まる。ふっくらとした赤い頬や唇、蛾の触角のように太い眉が特長である大陸風の化粧は、宮廷等の上流階級で取り入れられ、正倉院の絵画に描かれた美人にもその様子が残されている。その後、大陸との交流が途絶えると、日本独特の化粧文化が発達していった。白粉化粧を中心に、お歯黒、剃り眉等も習慣化し、江戸時代には集大成され、一定水準の化粧文化が確立された。

開国され、明治になると化粧法も西洋の影響を受け始めた。白粉、紅、椿油等、古くからの化粧品に加え、西洋から化学化粧品が輸入され、上流階級を中心に使われた。長年の日本の風習であったお歯黒、剃り眉については、外国人の目に醜悪に映るため、国際社会には相応しくないとの判断から廃止された。明治後期からは、化粧の発展期に入る。女性の社会進出増加に伴い、西洋風化粧が一般にも普及し始めた。それまでの白粉中心の化粧品に加え、化粧水やクリームといった基礎化粧品も国産品が開発され、化粧品メーカーも次々と設立された。

大正から昭和初期にかけては、大阪の中山太陽堂（クラブ化粧品）と東京の平尾賛平商店（レート化粧料）が二大勢力となり、「西のクラブ、東のレート」と呼ばれ争った。両社は、宣伝カーや気球による派手な宣伝や、有名女優を用いたポスターによる広告、イベントの開催等、様々な販売促進活動を繰り広げ、人々の注目を浴びた。

女性をターゲットとした化粧品のパッケージデザインは、当時の商業デザインの牽引役ともいえる。アール・ヌーボーやアール・デコ等の西洋の流行を敏感に取り入れ、それらを日本風に昇華し、華麗な世界を作り出している。クラブ、レートに加え、エレガントなデザインの桃谷順天館、モダンなデザインの資生堂、そして御園化粧品、カガシ化粧品、ウテナ化粧品等が個性的なデザイン合戦を繰り広げていた。

O-KOTO-SAN AT HER MORNING TOILET.
1

化粧する女性の絵葉書／91×142

顔を白く美しく見せるということは、女性の古くからの欲望であり、化粧目的で白粉が使われていた事は「枕草子」や「源氏物語」にも記述されている。江戸時代には、つきの良い鉛白粉の製法が確立し、広く使われるようになった。明治に入っても色白が美人という考え方は続き、白粉を使った厚化粧が主流であった。しかし一方、白粉を多用する歌舞伎役者に鉛中毒と思しき症状が多かったので、鉛白粉の有毒性が社会的に問題視され始めていた。明治時代の白粉の包装には、和紙の包み（畳紙）や桐箱が使われ、それらに貼られた木版ラベルは、役者絵や美人絵等、浮世絵の流れを汲むデザインのものが多い。

東香御白粉の畳紙（表裏）／服部金光堂／177×113

白水香のラベル／浪花柏岡／100×77

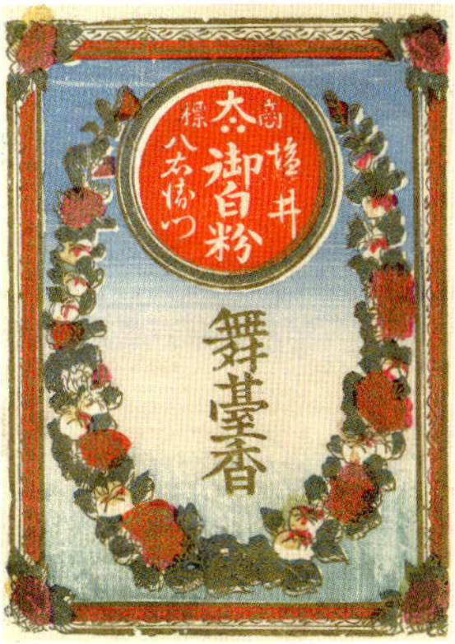

舞臺香のラベル／塩井／101×74

千年香のラベル／八幡屋由兵衛／120×85

孔雀香のラベル／塩井／121×77

丁子香のラベル／塩井／116×74

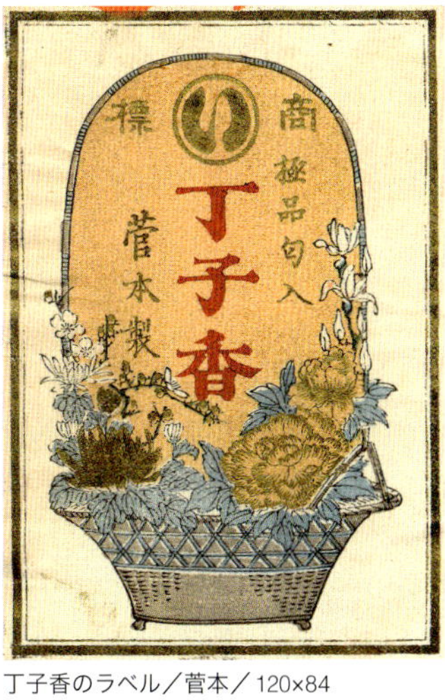

丁子香のラベル／菅本／120×84

簾の花のラベル／浪花柏岡／120×82

冨士乃梅のラベル／菅本／126×80

都乃雪のラベル／八幡屋由兵衛／125×87

都さくらのラベル／菅本／120×80

玉川香のラベル／八幡屋由兵衛／123×86

丁子香のラベル／塩井／115×74

白菊香のラベル／八幡屋由兵衛／117×79

牡丹香のラベル／八幡屋由兵衛／117×78

手弱女香のラベル／高田慶治郎／123×89

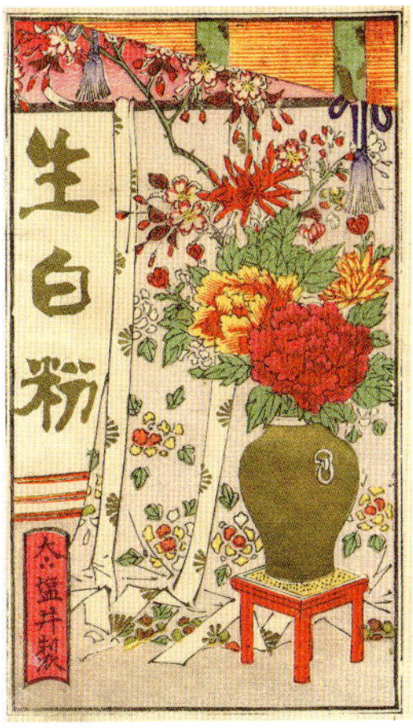

生白粉のラベル／塩井／121×72

大勝利のラベル／大阪八松／120×80

八重錦おしろいの桐箱／冬野繁栄堂／106×85×23

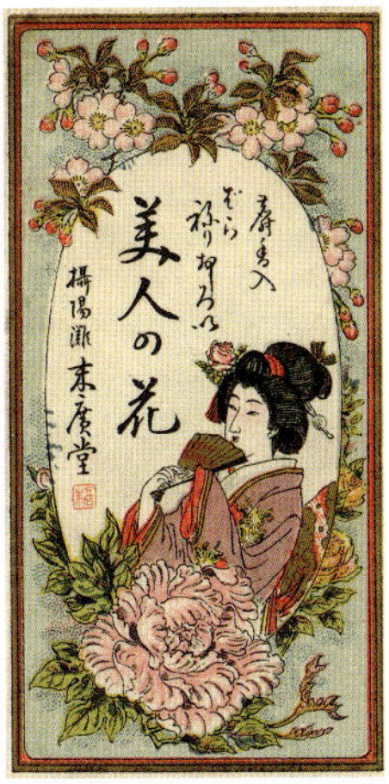

美人の花のラベル／末廣堂／104×54

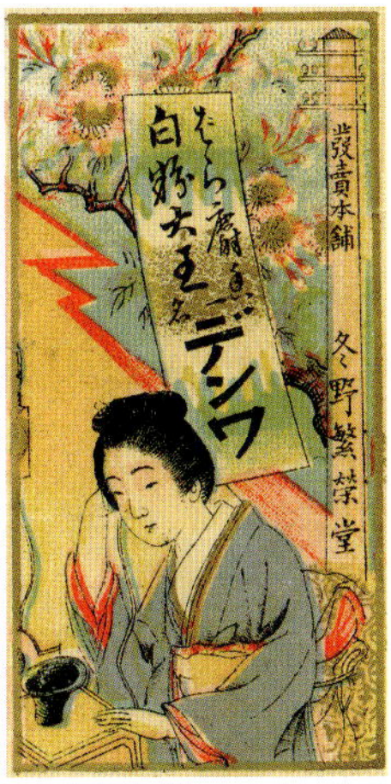

デンワのラベル／冬野繁栄堂／76×39

御園の花の包紙／伊東胡蝶園／140×95

菊の光白粉／平田松花堂／H130（ガラス容器）

江戸期から明治にかけての白粉には鉛が含まれていたため害毒が多かった。特に白粉を常用する歌舞伎役者に慢性中毒者が多く、手足を失った沢村田之助の壮絶な舞台や中村福助の天覧歌舞伎での足の震え事件等が象徴的な例として伝わっている。更に鉛中毒は本人だけに留まらず、母親を経由して子供に及び、脳膜炎に似た症状を引き起こしたようである。このような社会問題を背景に、無鉛白粉の開発に多くの研究者が取り組んでいた。その中で成果を上げたのは、パリ留学の経験がある化学者、長谷部仲彦である。彼の発明品である無鉛白粉は明治 33 年（1900）に皇太子ご成婚の際に献上され、明治 37 年（1904）には「御料御園白粉」として伊東胡蝶園より発売された。その後、「レート白粉」や「クラブ白粉」等、無鉛白粉の商品化は相次いだ。しかしながら、旧来の鉛白粉も、肌へのツキ、ノビの良さから根強い需要があり、販売が続けられた。結局、省令により販売禁止となるのは、昭和 10 年（1935）まで待たなければならなかった。

明治後期から大正時代にかけて、女性の職場進出や洋装化に伴い、化粧も西洋の影響をより強く受けるようになり、その方法も多様化した。和装用の厚化粧に加え、洋装に合う、薄化粧、早化粧などが TPO に合わせて使い分けられるようになったのである。白粉の形態も細分化され、その種類は以下のように大別される。

- 煉白粉　　当時の一般的な厚化粧用として化粧水で溶き使用
- 固煉白粉　煉白粉より濃度が濃く、主として襟部分の化粧に使用
- 水白粉　　薄化粧や早化粧に手軽に使用出来るようにした水溶タイプ
- 粉白粉　　薄化粧や早化粧時の基本品。また厚化粧時の仕上用
- 紙白粉　　化粧崩れを直すため、外出時に携帯

この内、煉白粉は単に白粉と称される場合が多い。固煉白粉は、衿白粉と呼ばれる事もある。
また、それまで白色が常識だった白粉の世界に色付きのものが登場したのも大正時代である。資生堂の「はな（明治 39 年）」、「かえで（明治 39 年）」とそれに続く「七色粉白粉（大正 6 年）」がその先駆で、使用者の肌の色や着物との色彩的な相性等によって使い分けられるようになった。
白粉の洒落たパッケージ意匠には、各化粧品メーカーのデザイン力が如何なく発揮されており、アール・ヌーボーやアール・デコ等、当時の西洋の先端デザイン様式が積極的に取り入れられた。

大學白粉／矢野芳香園／Φ45×H63

クラブ白粉／中山太陽堂／Φ50×H67

クラブ白粉の大箱／中山太陽堂／167×113×78

花王白粉／脇田盛眞堂／Φ34×H46

新都の花／松井／Φ36×H57

ちござくら／大野金城堂／Φ47×H98

レート白粉／平尾贊平商店／Φ40×H60

レート白粉／平尾贊平商店／Φ46×H60

美顔白粉／桃谷順天館／Φ46×H54

クラブ粉白粉の陶製容器／中山太陽堂／
Φ97×H60

中山太陽堂は明治 36 年（1903）中山太一により神戸に設立された。化粧品及び雑貨の卸業から始めたが、当時の国産品は品質が悪く、舶来品に頼らざるを得ない状況であった。これを憂慮した太一は、日本人に適する化粧品を自ら作ることを決意し、明治 39 年（1906）に自社第一号製品として「クラブ洗粉」を発売、大ヒットを収めた。クラブというブランド名は印象が良く、洗粉の発売直後に商標登録され、その後の全商品に使用された。シンボルマークとして親しまれた花笠の双美人図案は、画家の中島春郊が前田公爵夫人をモデルに描いたと言われる。当時ヨーロッパで流行していたアール・ヌーボーを取り入れた優雅なデザインは業界をリードするものであった。洗粉に続き、クラブ白粉を明治 43 年（1910）に、クラブ粉白粉を翌明治 44 年に発売し、中山太陽堂は総合化粧品メーカーとしてのスタートを切った。その後の様々な宣伝広告が功を奏し、同社は急成長を遂げ、大正から昭和初期にかけて白粉やクリームの分野で圧倒的なシェアを誇り業界に君臨した。

クラブ粉白粉／中山太陽堂／
50×50×28

クラブはき白粉／中山太陽堂／
Φ61×H40

クラブはき白粉／中山太陽堂／
Φ68×H23

クラブ粉白粉／中山太陽堂／65×65×20

クラブはき白粉／中山太陽堂／
Φ71×H27

クラブはき白粉／中山太陽堂／
Φ71×H27

クラブはき白粉／中山太陽堂／
Φ74×H35

クラブはき白粉／中山太陽堂／
Φ70×H38

クラブ粉白粉／中山太陽堂／
Φ72×H25

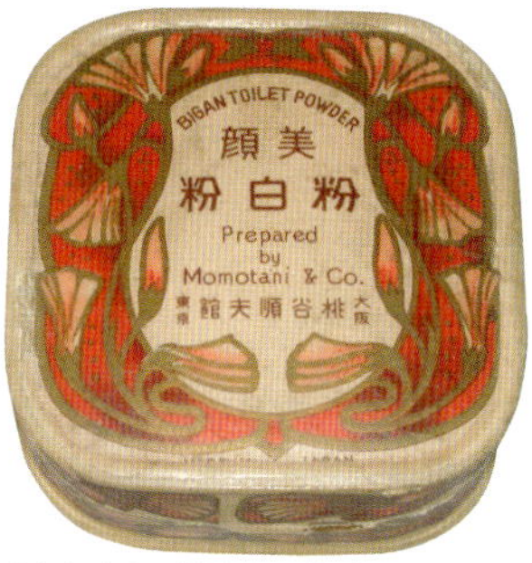

美顔粉白粉／桃谷順天館／64×64×26

美顔粉白粉／桃谷順天館／Φ74×H28

チャンピオン粉白粉／63×63×30

アイデアル五百番粉白粉／高橋東洋堂／Φ67×H27

明色粉白粉／桃谷順天館／Φ72×H25

オリヂナル粉白粉／安藤井筒堂／Φ75×H32

カッピー粉白粉／豊香園／Φ65×H22

マスター千番粉白粉／尚美堂／82×97×H23

マスター千番粉白粉／尚美堂／Φ72×H28

御園チタニウム粉白粉／伊東胡蝶園／Φ69×H29

カガシ粉白粉／カガシ化粧品／Φ71×H34

カガシ粉白粉／カガシ化粧品／Φ71×H28

レート粉白粉／平尾賛平商店／
Φ70×H26

レート粉白粉／平尾賛平商店／
Φ67×H33

ホシ美粉白粉／星製薬／Φ60×H32

レート粉白粉／平尾賛平商店／
Φ60×H32

柳屋粉白粉／柳屋本店／Φ70×H28

レーム粉白粉／レーム化粧料本舗／
Φ63×H37

ウテナ粉白粉／久保政吉商店／
Φ69×H27

月の友固形パクト／月の友化粧園／
Φ74×H23

固形タンゴドーラン／宇野達之助商会／
Φ74×H23

モダンカラー粉白粉／資生堂／
Φ76×H25

七色粉白粉／資生堂／55×55×34

ドルックス粉白粉／資生堂／
Φ67×H38

「固煉白粉」は、和装時の厚化粧の際に用いられる固く煉られたペースト状の白粉で、使用時は化粧水等で溶き延ばし、板刷毛で首回りや顔に塗られた。固煉白粉をつけた上に仕上げとして粉白粉を打ち込み、化粧の見栄えともちを良くするのが当時の化粧法であった。また溶き水の量を多くすることで、煉白粉や水白粉の代わりに使われることもあったようである。
粉白粉のパッケージが紙製であるのに対し、固煉白粉はガラス製が主流である。容器のフタには紙のラベルが貼られ、商品イメージを艶やかに訴求している。

固煉美顔白粉／桃谷順天館／Φ65×H30

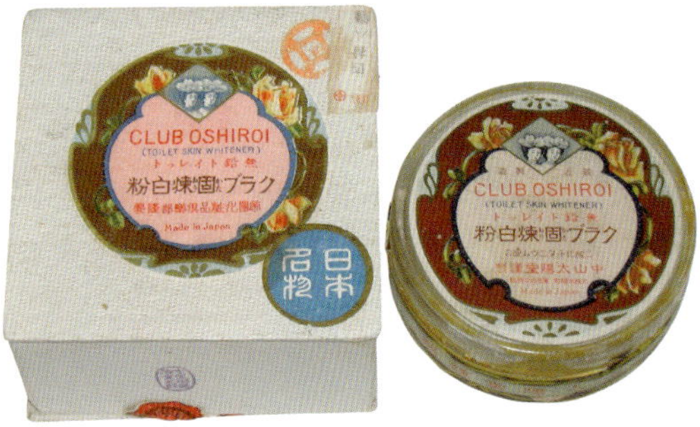

クラブ固煉白粉／中山太陽堂／Φ67×H26

レート固煉白粉／平尾賛平商店／Φ66×H29

ホシ美固煉白粉／星製薬／Φ66×H31

ホシ美固煉白粉／星製薬／Φ65×H29

ラブミー衿白粉／奥住商店／Φ65×H33

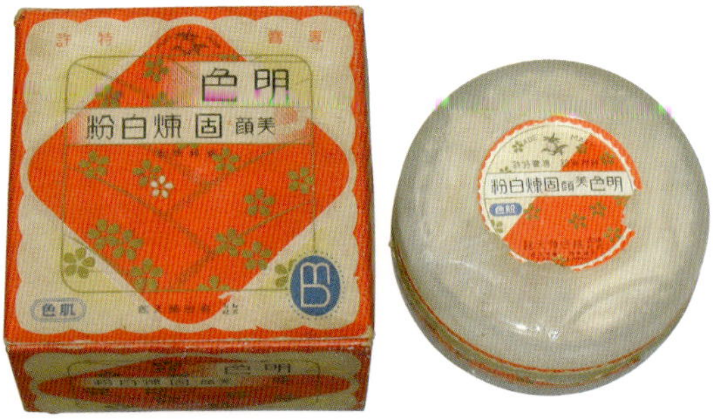
明色美顔固煉白粉／桃谷順天館／Φ63×H32

アイデアル煉白粉／高橋東洋堂／Φ72×H48

固煉白粉／資生堂／Φ60×H50

レーム固煉白粉／レーム化粧料会社／62×79×42

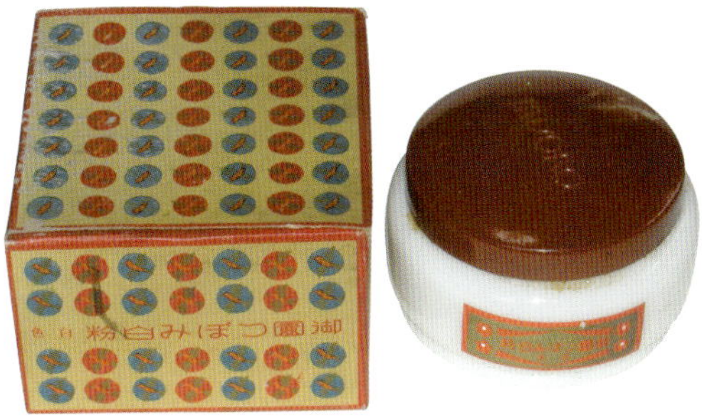

御園つぼみ白粉／伊東胡蝶園／Φ58×H36

御園白粉／伊東胡蝶園／Φ64×H32

クラブ衿白粉／中山太陽堂／Φ68×H28

サーワ固煉白粉／丸見屋商店／Φ70×H30

カガシ固煉白粉のチラシ／136×192

クラブ固煉白粉／中山太陽堂／67×67×64

レート水白粉／平尾賛平商店／H120

レート水白粉／平尾賛平商店／H117

サーワ白粉／丸見屋商店／H125

福原水白粉／資生堂／H117

クラブ水白粉／中山太陽堂／H112

アイデアル水白粉／高橋東洋堂／H140

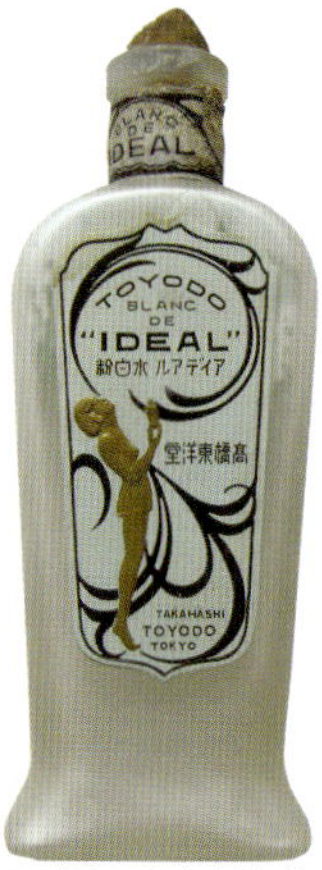

アイデアル水白粉／高橋東洋堂／H148

ホシ美水白粉／星製薬／H105

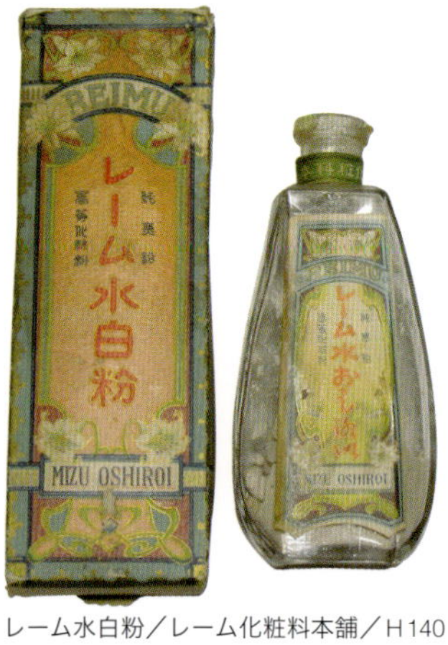

レーム水白粉／レーム化粧料本舗／H140

透明白粉／RODO＆Co／H97

クラブ紙白粉／中山太陽堂／78×51×6

クラブ紙白粉／中山太陽堂／76×50×6

レート紙白粉／平尾賛平商店／78×53×5

スキナ紙白粉／NAKATA ／75×51×5

御園紙白粉／伊東胡蝶園／76×52×6

カッピー紙白粉／豊香園／75×52×5

紙白粉／資生堂／76×50×7

紙白粉／資生堂／76×51×4

紙白粉／資生堂／74×53×5

東のレートとして君臨した平尾賛平商店は、明治 11 年 (1878) 神田淡路町に「岳陽堂」という屋号で創業された。売薬業を主としていたが、創業年の 12 月に創製、販売を始めた白粉下化粧水「小町水」が、日本最初の化粧水として評判となった。当時活躍していた蘭方医、松本順の処方によるもので、白粉の下地用だけでなく、あせもや吹き出物にも効くとのふれ込みが功を奏したようである。その後、明治 24 年 (1891) にはダイヤモンド歯磨を、明治 39 年 (1906) には乳白化粧水レートを発売、事業を拡大した。ブランド名の「レート」はフランス語の牛乳にちなんだもので、その響きが女性の心を捉えた。その後、クレームレートを初め、各種化粧品を連発、華々しい宣伝広告も手伝って、総合化粧品メーカーとしての地位を築き、大正から昭和初期にかけて化粧品業界を席捲した。

キレー水／山崎帝國堂／H 105

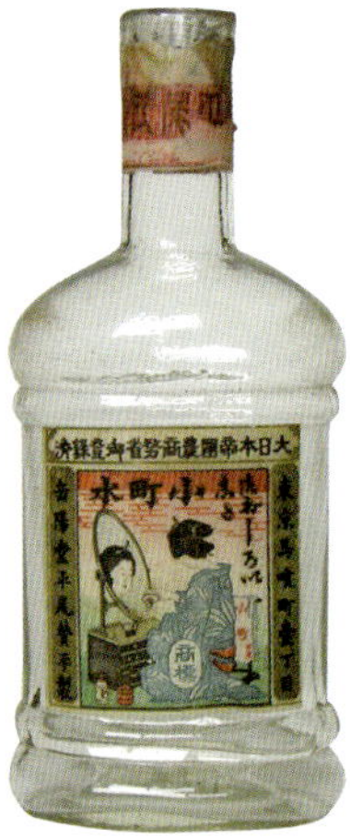

小町水／岳陽堂平尾賛平／H 110

ツヤキング／太田商店／H 130

ホシ美化粧水／星製薬／H 116

オイデルミン／資生堂／H 105

透明レート／平尾賛平／H 102

ヘチマコロン／天野源七／H 133

ヘチマコロン／天野源七／H 140

液体クリーム／資生堂／H 127

大學化粧水／矢野芳香園／H 135

桃谷順天館の歴史は、約350年以上前にさかのぼり、紀州の正木屋という薬種商に始まる。会社としての創業は、明治18年(1885)に桃谷政次郎によるもので、その時、商標として「桃に蜻蛉」マークが採用された。蜻蛉は日本を象徴、桃は桃谷の桃であるとともに長寿の願いが込められている。翌明治19年(1886)に数種の売薬を発売。その中の「にきびとり美顔水」は、夫人のニキビ治療のために政次郎が自ら開発した薬が原型となったものであるが、その品質の高さから生産が追いつかないほどの大ヒットとなった。明治35年(1902)には「化粧用美顔水」を発売、前商品に続き好評を博した。大正に入ると「美顔石鹸」、「美顔白粉」等、美顔を冠した各種化粧品を相次いで発売、更にそれらは昭和に入ると「明色」ブランドへと続く。明治後期から大正にかけての同社のパッケージデザインは、アール・ヌーボーやアール・デコを基調にした極めて優美なものが多い。

にきびとり美顔水／順天館桃谷政次郎／H78

化粧用美顔水大箱／桃谷順天館／210×156×119

にきびとり美顔水の絵葉書／141×90

白色美顔水／桃谷順天館／H105

化粧用美顔水／桃谷順天館／H110

肌色美顔水の外箱／桃谷順天館／H136

明色美顔水／桃谷順天館／H127

化粧用美顔水／桃谷順天館／H116

にきびとり美顔水／桃谷順天館／H120

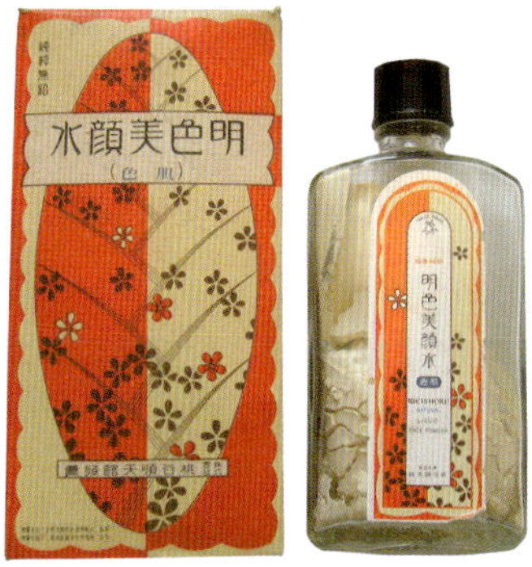

明色美顔水／桃谷順天館／H125

化粧品にクリームが登場するのは、明治の末になってからである。明治42年(1909)に平尾賛平商店より「クレームレート」が、翌明治43年には中山太陽堂より「クラブ美身クリーム」が発売された。(平尾賛平商店のクレームレートは、フランス語が語源となっており、昭和2年にレートクレームと改名)用途としては、肌荒れ止めや日焼け止めの他、化粧の下地等であった。成分から見ると、ワセリンやラノリン等の脂肪性原料を元にしたコールドクリームとグリセリン(リスリン)を主成分とした無脂肪性クリームに大別され、ベタベタせずに良く伸びるものが好まれた。

レートクレーム／平尾賛平商店／H54

クラブ美身クリーム各種／中山太陽堂／
左より、H44、H38、H48

クラブビシン／
中山太陽堂／H82

レートメリー／平尾賛平商店／H67

玲光デルミットバニシングクリーム／美王堂／H58

バニシングクリーム／
尚美堂／H57

レートメリー／
平尾賛平商店／H68

カガシクリーム／
カガシ化粧品／H57

バニシングクリーム／
資生堂／H58

レートクレーム／平尾賛平商店／L132

レート化粧料詰合せ箱の蓋の意匠／平尾賛平商店

ベイラム／松坂屋／
H188

はなたちばな／資生堂／
H168

アイデアルヘアローション／
高橋東洋堂／H165

レート清涼香油／
平尾賛平商店／H168

井筒油／井筒屋商店／H110

きぐら香／木倉屋髪油店／
Φ68×H19

庄慶香水椿／庄慶商会／
178×118×94

白鷺香油のラベル／桃山／158×106

白菊香油のラベル／福田／157×97

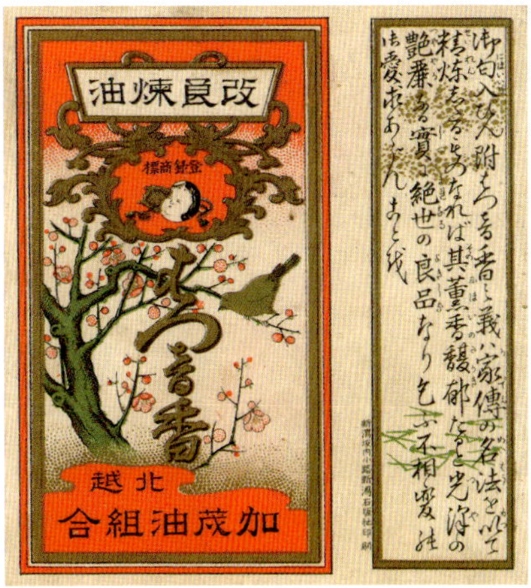

改良煉油のラベル／加茂油組合／83×77

クラブルブラン香水／
中山太陽堂／59×32×21

ムスク香水／
松澤常吉化粧品／H61

ムスク香水の絵葉書／松澤常吉化粧品／91×141

乙女はだ／清水薬館／48×67×20

クラブ美身ゼリー／
中山太陽堂／H88

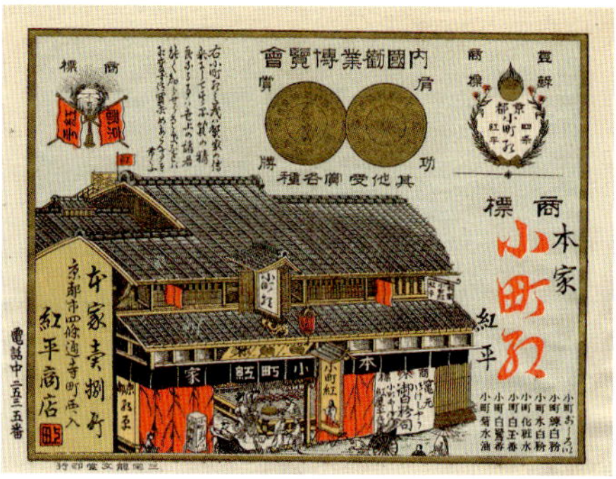

小町紅のラベル／紅平商店／95×127

クラブ美の素／中山太陽堂／Φ39×H10

クラブ美の素／中山太陽堂／Φ39×H11

クラブほゝ紅各種／中山太陽堂

白粉下各種

カガシ白粉下／カガシ化粧品／Φ40×H11

クラブほゝ紅／中山太陽堂／Φ40×H10

粉末爪磨／資生堂／Φ40×H19

資生堂銀座化粧品の絵葉書／89×138

モダンカラー粉白粉／資生堂／Φ56×H27

明治５年（1872）に福原有信によって創業された資生堂は、薬屋から始まった。当初は売薬や歯磨を中心に扱っていたが、創業者の三男の福原信三が経営を受け継いだ大正４年（1915）以降、事業の主体が化粧品に移された。欧米で見識を積んでいた信三は、デザインを事業の重要な戦略と考え、大正５年に国内企業で初めて意匠部を設立し、広告やパッケージデザインの制作を専門化した。そこからは、山名文夫、前田貢等の優れたデザイナーが輩出され、彼らによる唐草模様、女性図案等のモダンなデザインは、資生堂独自の企業イメージを創出し、「資生堂スタイル」と呼ばれるデザインコンセプトを築き上げていった。

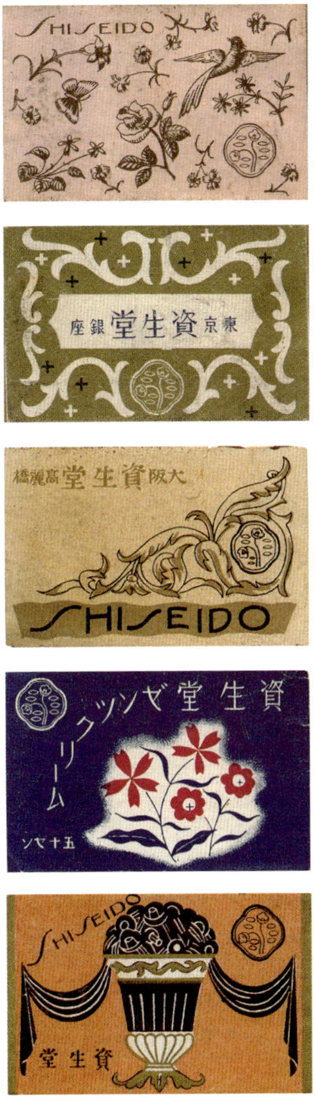

資生堂マッチラベル5種／36×55

銀座化粧脂取紙／資生堂／68×68×2

モダン脂取紙／資生堂／70×71×1

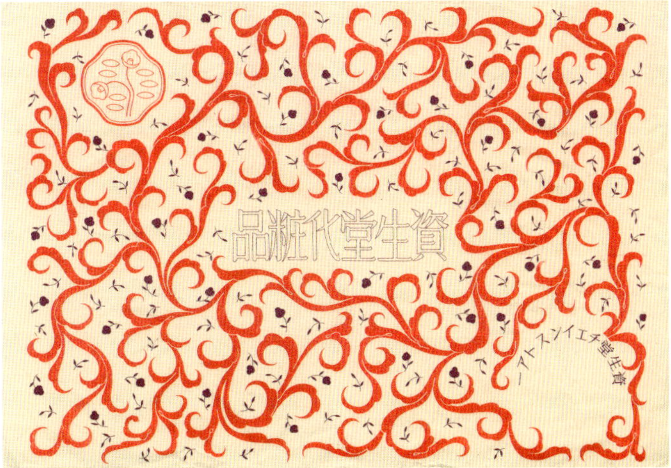

包装紙／資生堂／270×395

Soap 石鹸

石鹸は、スペインやポルトガルから南蛮貿易によって日本に伝えられたと言われている。しかし、当時の石鹸「シャボン」を使う事が出来たのは、一部の武士やキリシタンの人達だけで、広く一般に広がるようになるのは、幕末から明治にかけて舶来品が輸入されるようになってからである。日本において本格的な石鹸製造に成功するのは、横浜の堤磯右衛門である。彼はフランス人技師ボエルから製造法を学び、明治6年（1873）に石鹸づくりに成功した。当初の品質は舶来品に到底及ばなかったが、試行錯誤を重ね品質の向上を果たし、明治10年（1877）の第一回内国勧業博覧会で花紋賞を受賞するまでになった。彼はまた商品に貼るラベルのデザインにも力を入れた事で知られており、外国製品のラベルのデザインをベースに日本のイメージを加味したラベルが残されている。堤と時をほぼ同じくして、長崎、神戸、大阪、東京等、全国に石鹸製造所が設立され、日本の石鹸業は発展をたどり、明治13年（1880）には、国内消費の65%をまかなうまでとなった。その後、堤石鹸製造所は後継者がいなかったため、明治26年（1893）に廃業となるが、それに代わるように登場したのが長瀬富郎である。

長瀬は、明治23年（1890）に「花王石鹸」を売り出し、企業的に成功を遂げる。それ以降、製造の機械化が進むとともに非常に多くのメーカーが参入し、明治後期から大正に掛けて群雄割拠の時代となるが、その中で、花王石鹸、ミツワ石鹸、資生堂石鹸が台頭し、御園石鹸、ベルベット石鹸等が次いだ。当時のパッケージには、化粧品等と同様に美しい意匠が施され、消費者を魅了していた。詰め合わせのブリキ缶や化粧箱は、贈答品としても広く用いられていたようである。

極製石鹸のラベル／堤磯右衛門／179 × 166

都の花石鹸のラベル／大阪野村／128 × 52

おしろい下石鹸のラベル／浪花商会／75×161

明治20年頃になると、舶来品に対抗して国産石鹸が販売されるようになったが、まだまだ高価な商品であった。高級感を高めるため一つ一つ丁寧に包装された上、3個程度をまとめて桐箱に収められる場合も多かった。その頃は、開国以来の舶来至上主義からの反動として、国粋主義が芽生えた時期でもあり、パッケージの図柄にも菊や牡丹等の日本風の物が多用され、純国産が標榜された。また、当時の商品の特長として、洗顔後につっぱり感の出ない保湿効果を持つリスリン（グリセリン）が含有されたものや、芳香のため麝香（ムスク）を配合したものが発売されていた事がラベル等から見て取れる。

澤の鶴の桐箱／標下／218×102×52

リスリン石鹸の桐箱／佐々木玄兵衛／190×87×44

美人石鹸／清水開花堂／79×60×37

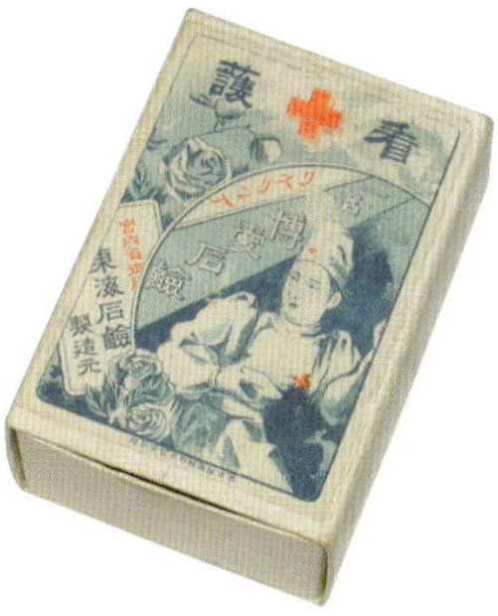

博愛石鹸／東海石鹸／79×55×34

花香石鹸／福井／82×56×35

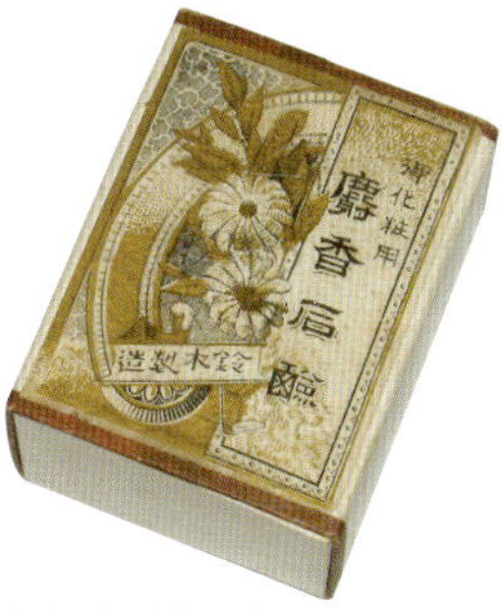

麝香石鹸／鈴木／73×57×34

都の花石鹸／野村外吉／81×56×35

リスリン石鹸／鈴木／73×55×33

石鹸／寺澤覺兵衛／81×59×39

ばら石鹸／金明堂／81×62×39

花王石鹸のラベル／長瀬商店／70×145

岐阜出身の長瀬富郎が上京し、長瀬商店を始めたのは明治 20 年 (1887) の事である。当初、石鹸や文具の卸問屋をしていたが、扱う商品の品質に満足できず、3 年後には、自ら石鹸の製造販売に乗り出した。その第一号として商品化したのが、洗顔用「花王石鹸」である。桐箱に収められたその商品は、当時非常に高価なものであったが、舶来品に劣らぬ品質の良さが評判を呼び、ヒット商品となった。お馴染みの三日月印のトレードマークも富郎本人が考案したものである。昭和 6 年 (1931) には、包装デザインを一新するにあたって国内の有名デザイナーによるコンペがとられた。8 名のデザイン案から選ばれたのは当時、新進の原弘の作品であった。オレンジの下地に白抜き文字に「Kao Soap」と描かれた斬新なデザインは過去からの花王のイメージを一新するものであったが、広告 PR や低価格戦略等も効果的に働き、新装石鹸はたちまち普及した。

花王石鹸／花王石鹸㈱ 長瀬商会／116×232×36

新装花王石鹸の包装紙／花王石鹸㈱ 長瀬商会／140×132

牡丹石鹸のラベル／T.K＆Co／119×44

松澤ホーサン石鹸／松澤商店／96×185×38

都の花石鹸／野村／90×179×38

ホーカー石鹸／村田好美堂／123×233×85

麝香石鹸／花香舎／109×53×22

「資生堂石鹸」は大正 10 年（1921）の春に発売された。生地は青磁色をしており、市場調査の結果、最も好まれる色として採用されたものである。大衆用として安価な価格設定にもかかわらず、高い品質と柔らかな薫りを備えており、市場の支持を得た。当時、資生堂は若山太陽舎に石鹸の製造を委託していたが、大正 15 年（1926）に両社の出資による「資生堂石鹸株式会社」が設立され、昭和 5 年（1930）に資生堂に合併されるまで、石鹸の専門会社として操業を続けた。資生堂は、また、石鹸を贈答品としても位置づけ、「資生堂石鹸美術缶」、「資生堂銀座石鹸美粧函」を定期的にデザインを変更して発売した。

資生堂石鹸／173×106×60

資生堂石鹸／173×106×60

資生堂石鹸／205×177×42

資生堂石鹸／257×112×43

資生堂石鹸／255×112×43

資生堂特製石鹸／243×115×30

資生堂石鹸／92×166×38

資生堂石鹸／87×166×39

花椿石鹸／資生堂／68×130×23

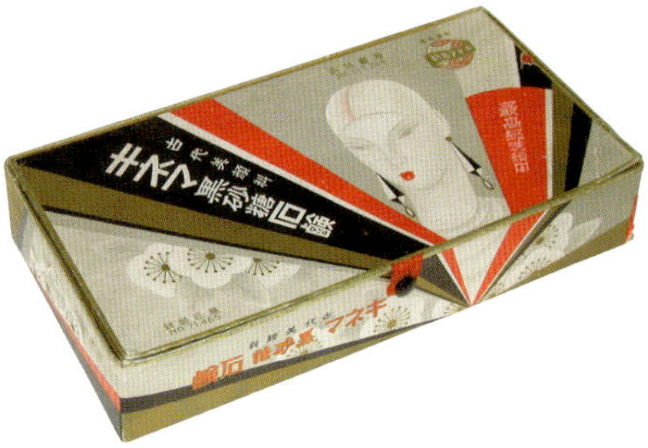

キネマ黒砂糖石鹸／140×267×49

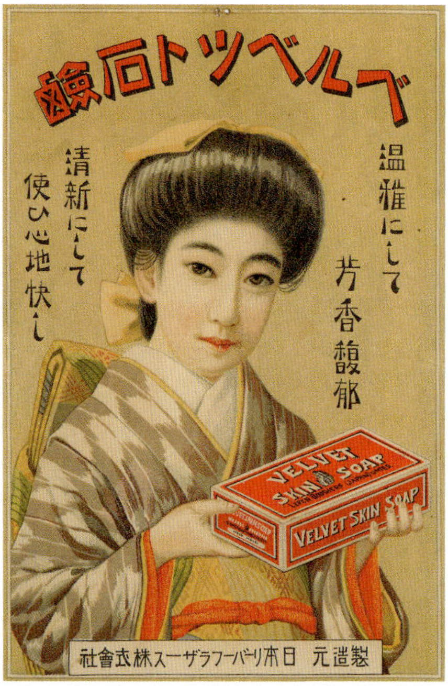

ベルベット石鹸のチラシ／日本リーバ・ブラザーズ／178×119

キネマ黒砂糖石鹸／キネマ石鹸本舗／78×247×34

大正から昭和の初めにかけて、ベルベット石鹸は、花王、ミツワ、資生堂等と共に業界の主力であった。その歴史は、世界最大の石鹸メーカーである英国リーバ・ブラザーズ社が、明治 43 年（1910）に日本リーバ・ブラザーズ社を設立したのに始まる。大正 2 年（1913）に東洋の基地として、尼崎工場の操業を開始し、石鹸、硬化油等の一貫生産を行い、まもなくそれらの製品は大陸に輸出されるまでになった。当時の尼崎工場は職工 500 人を抱える大規模工場で国内資本の工場をはるかに凌ぐものであった。大正 15 年（1926）にベルベット石鹸株式会社と改称、その後、昭和 12 年（1937）には合同油脂株式会社と合併し、日本油脂株式会社が設立された。商標も同年以降、「ベルベット」から日本油脂の親会社である「ニッサン」名に統一された。

ダイヤ菊石鹸／78×251×40

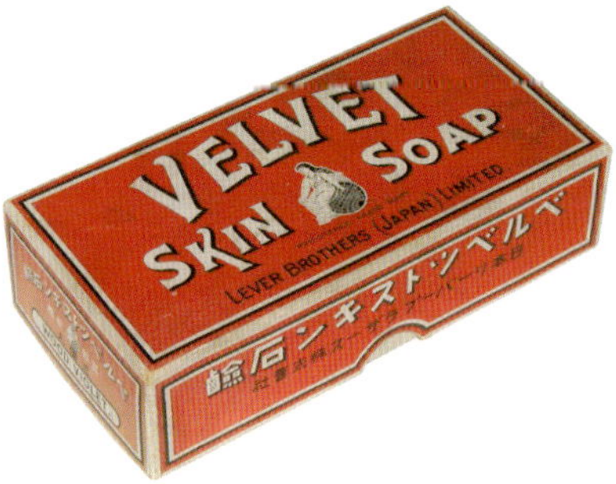

ベルベットスキン石鹸／日本リーバ・ブラザーズ／90×181×45

ベルベット石鹸のチラシ／日本リーバ・ブラザーズ／200×139

ベルベット石鹸のチラシ／日本リーバ・ブラザーズ／199×133

御園ブランドで知られる伊東胡蝶園は、明治37年（1904）に伊東栄によって創業され、同年に国内初の無鉛白粉を発売するという功績を収めた。その後、大正にかけて総合化粧品メーカーとして成長していった。石鹸に関しては、「美装缶」と称される贈答用のブリキ缶に注力し、優れたデザインの容器を多く生み出している。

御園石鹸／伊東胡蝶園／113×183×67

御園石鹸の絵葉書／伊東胡蝶園／89×139

御園石鹸／伊東胡蝶園／113×183×67

御園石鹸の絵葉書／伊東胡蝶園／90×139

御園石鹸／伊東胡蝶園／183×113×67

御園石鹸／伊東胡蝶園／183×113×67

御園石鹸／伊東胡蝶園／183×113×67

御園石鹸／伊東胡蝶園／183×113×67

オリヂナル石鹸／安藤井筒堂／90×181×47

SAVON DE TOILETTE ／春元石鹸／ 88×178×48

ミツワ石鹸（いとう呉服店用）／丸美屋／ 105×207×51

三共コロイド硫黄石鹸／三共／ 90×165×40

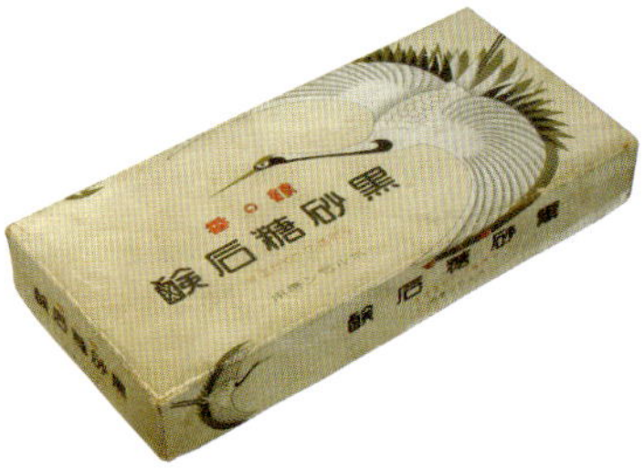

鶴の香 黒砂糖石鹸／ 133×278×40

三越六十番石鹸／三越／ 112×263×43

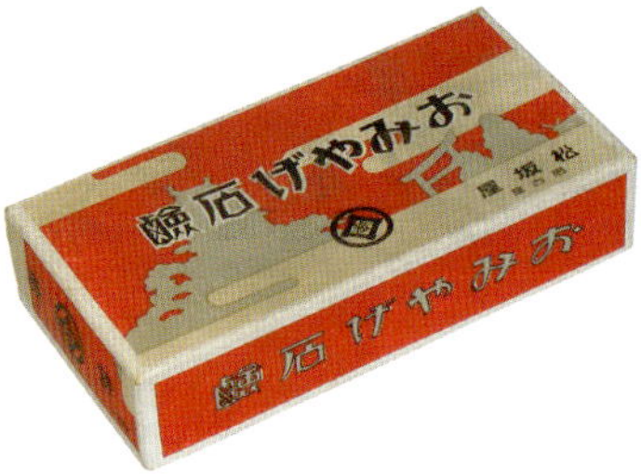

おみやげ石鹸／松坂屋／ 90×178×40

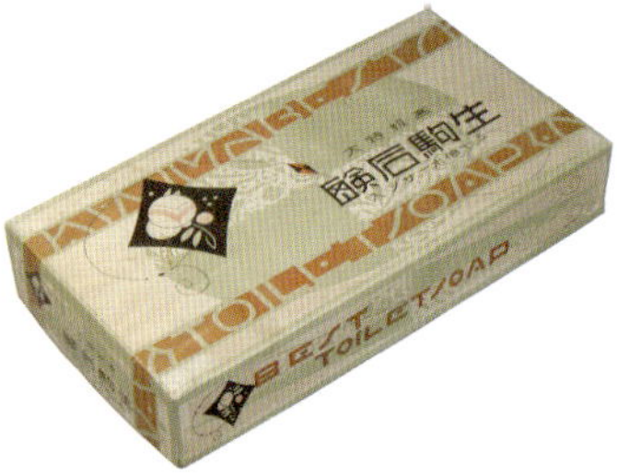

生駒石鹸／ 148×280×49

三越赤函石鹸／三越／ 112×264×35

大丸御化粧石鹸／大丸／ 97×192×40

江戸時代の洗浄料と言えば洗粉かぬかであった。洗粉は、大豆粉等の天然植物原料を主成分としたものをいい、ぬかと同じように布袋に入れて洗顔に使用されていた。明治以降、舶来石鹸が出回るようになると、洗浄力と香りが洗粉やぬかに比べ優れているため人気を博したが、反面そのアルカリ性が肌を刺激し肌荒れに悩む人々も多かった。それを解決するために石鹸にも劣らない洗浄力と香りを併せ持つ洗粉を開発し、量産に成功したのが中山太陽堂である。同社は明治 39 年（1906）に自社の第一号商品として「クラブ洗粉」を誕生させ大ヒットとなり、大きな躍進を遂げた。現在でも洗粉はその安全性のため根強い支持があり、クラブはもとより「ニード洗粉」等の旧来からの商品が受け継がれ販売されている。

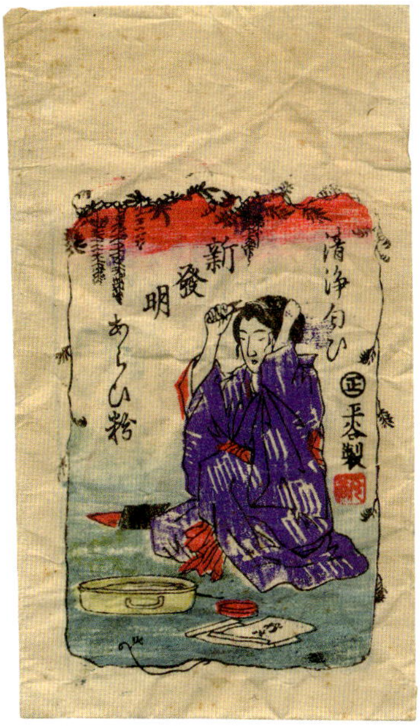

清浄匂洗粉の袋／平谷／155×89

御ねり洗粉の陶製容器／常盤堂／Φ63×H33

鶏玉洗粉のブリキ容器（表裏）／酒井玉盛堂／Φ43×H33

クラブ洗粉／中山太陽堂／88×122

オノール洗粉／オノール化粧品部／104×155

ニード洗粉／田中善／80×156×40

白ばら洗粉／資生堂／Φ60×H20

赤筒アイス洗粉／東京化粧品倶楽部／Φ72×H105

クラブ洗粉／中山太陽堂／Φ92×H110

梅香散のチラシ／伊勢屋吉次郎／695×263

歯磨きという行為は、江戸時代には既に習慣化していた。当時の方法は、焼き塩を指につけ直接磨いたり、香料入りの房州砂を房楊枝（柳等の枝の端を叩いて平たくした歯ブラシの原型）につけて磨くもので、それらの磨き粉は、大道芸をしながら町中を売り歩く「歯磨売り」によって量り売りされていた。

明治に入ると西洋から伝わった原料を主成分とする歯磨粉が登場し、袋や桐箱に詰められ定量売りされるようになった。明治21年（1888）には東京資生堂から日本で最初の煉歯磨、福原衛生歯磨石鹸が、そして明治29年（1896）には小林富次郎商店よりライオン歯磨が発売され、本格的な量産時代が始まった。ライオン歯磨は新聞への宣伝広告や慈善券付き特典などの販売戦略の成功により、たちまち市場を席巻、その後も国内初のチューブ容器入り型固煉歯磨の実用化も果たすなど、日本の歯磨文化を先導した。

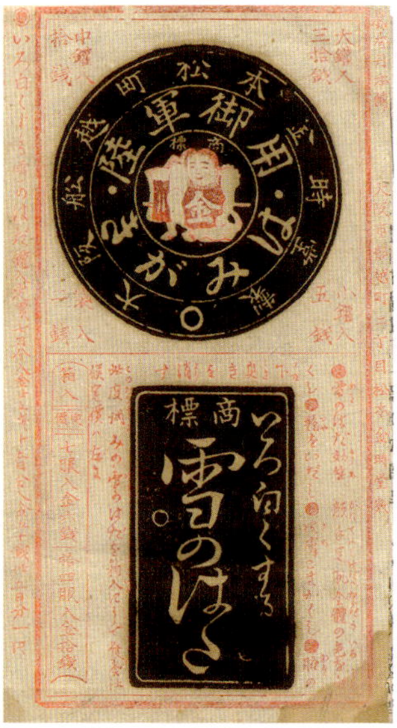

雪のはだのラベル／麝香丹本舗／119×64

月印はみがき（桐箱にラベル）／明治商会／75×55×37

薬歯磨（桐箱にラベル）／中村／74×55×32

クラブ歯磨／中山太陽堂／111×72

クラブ歯磨／中山太陽堂／168×127

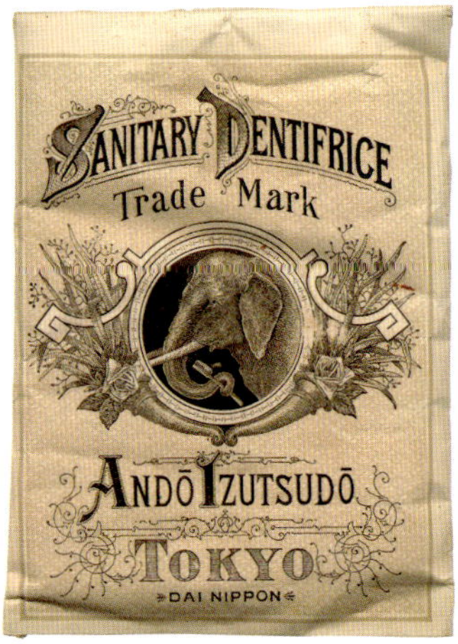

象印牙粉／安藤井筒堂／110×80

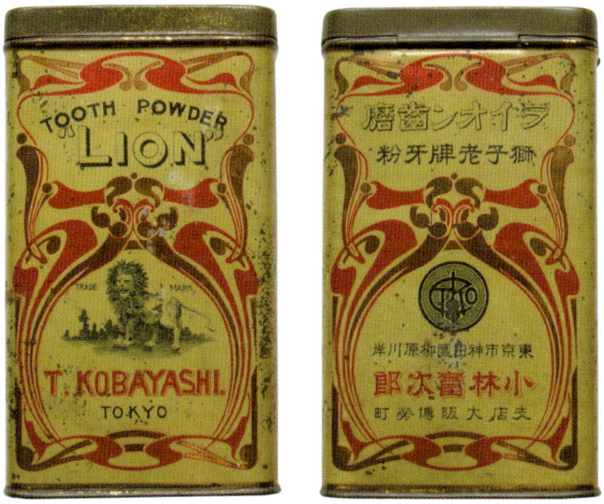

ライオン歯磨（ブリキ缶表、裏）／小林富次郎／128×74×42

ライオン歯磨（ブリキ缶）／小林商店／87×87×40

ライオン歯磨／小林商店／210×150

ライオン歯磨／小林商店／180×130

ライオン歯磨大箱／小林富次郎／
249×164×60

ライオン歯磨大箱／小林商店／243×190×55

ライオン歯磨大箱／小林商店／273×188×82

ライオン水歯磨／
小林商店／H89

クラブ煉歯磨の箱／中山太陽堂／113×185×29

クラブ歯磨の絵葉書／中山太陽堂／140×90

はこべしほ歯磨／S.YASUDA ／63×95×32

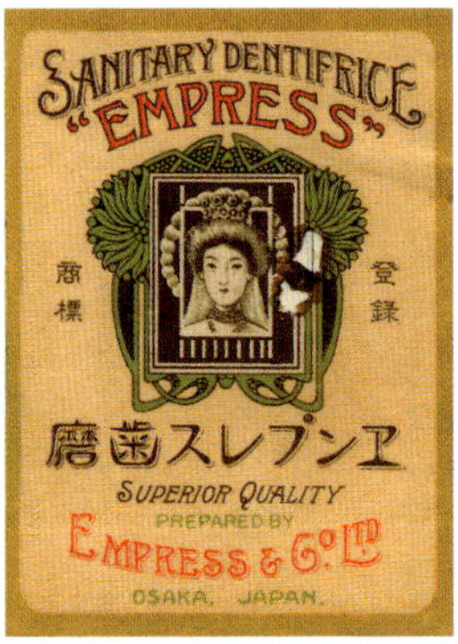

エンプレス歯磨のラベル／78×57

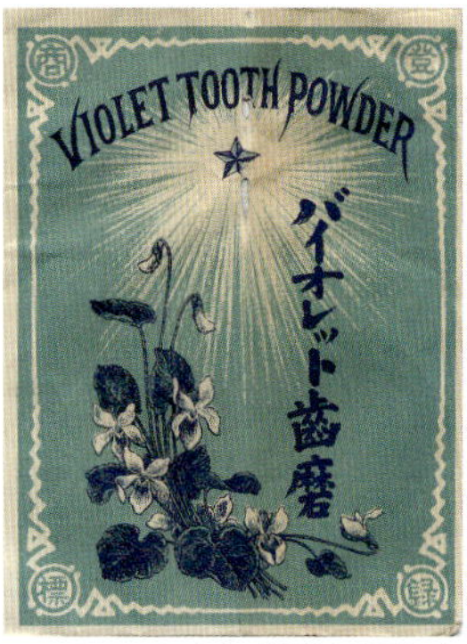

バイオレット歯磨／稲葉丹濱堂／
115×86

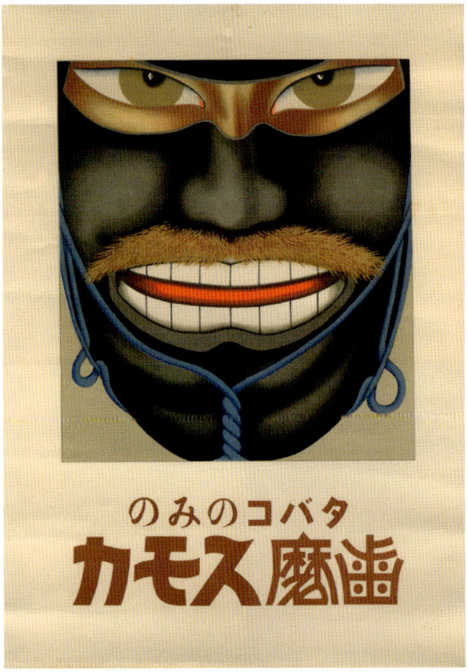

スモカ歯磨ポスター／434×310

レート歯磨の袋（展開）／平尾賛平商店／125×190

ライオン歯刷子の箱／小林商店／L 168

資生堂歯磨／資生堂／L 128

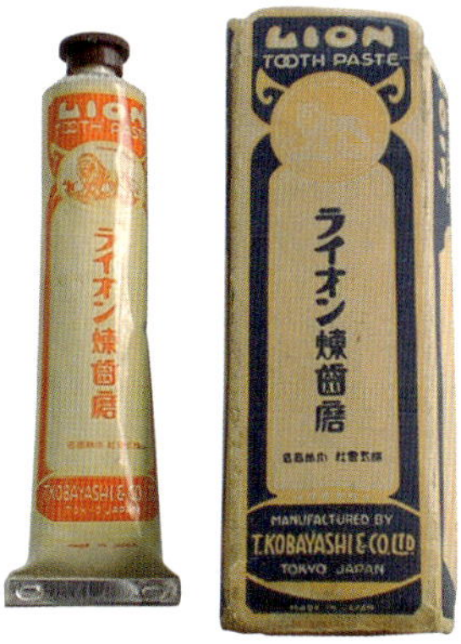

ライオン煉歯磨／小林商店／L 100

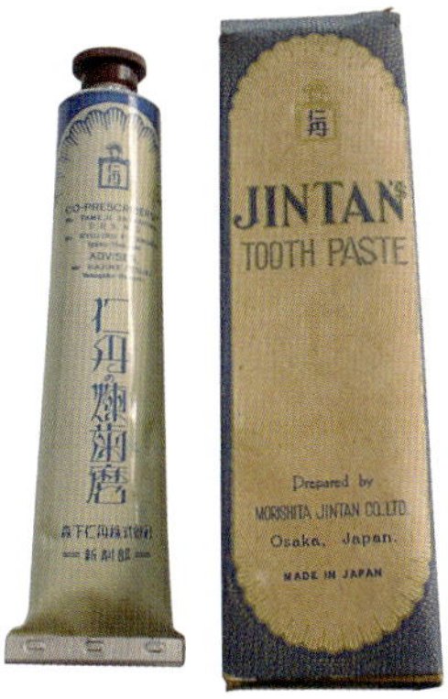

仁丹煉歯磨／森下博営業所／L 125

ライオン固煉歯磨／小林商店／ 40×55×13

ライオン固煉歯磨／小林商店／ 40×58×17

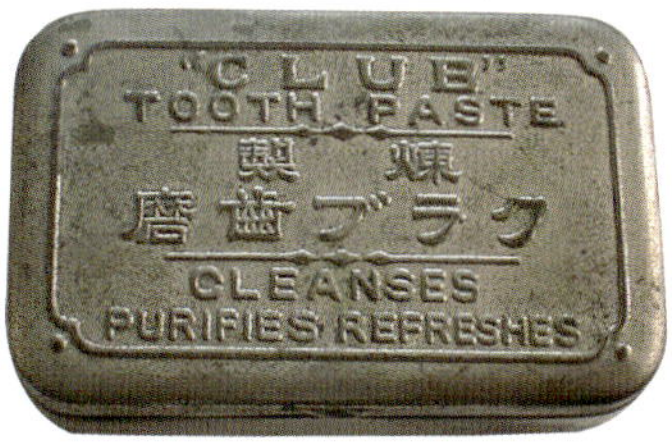

薬用クラブ歯磨／中山太陽堂／ 40×65×14

資生堂中煉歯磨／資生堂／Φ75×H22

資生堂煉歯磨／資生堂／Φ64×H23

ライオンコドモハミガキ／小林商店／
Φ63×H17

仁丹半煉歯磨／森下博営業所／Φ74×H17

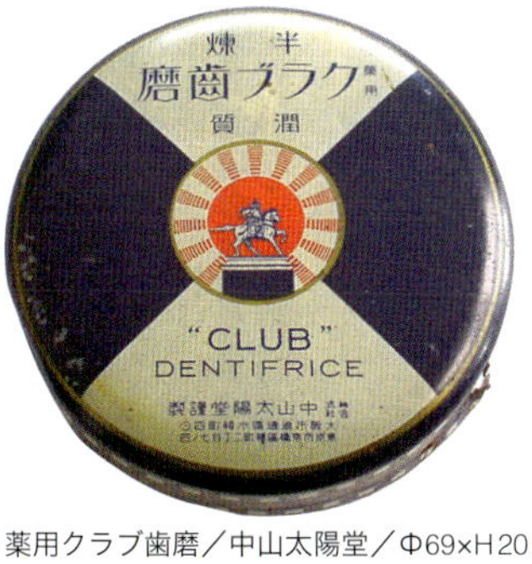

薬用クラブ歯磨／中山太陽堂／Φ69×H20

ライオン歯磨／小林商店／Φ80×H30

月経帯は、ナプキンやタンポンの登場で姿を潜めてしまった商品であるが、大正から昭和初期にかけて女性には必需品であった。日本で本格的に商品化されたのは大正２年（1913）のことで、東京の大和真太郎により「ビクトリア月経帯」が発売されている。それに続き、第一ゴム製作所（フレンド月経帯）、太田春龍堂（エンゼルバンド）、テーシー商会（メトロンバンド）等が参入し市場は活況を呈するが、その中でビクトリアとフレンドが勢力を二分したようである。両社は、広告に当時の人気映画スターを起用するなどして派手な宣伝合戦を繰り広げた。容器の多くはブリキ製で、デザインは英語を多用した西洋調の華やかな物が多い。ともすれば秘めた印象に陥りかねない商品イメージを、パッケージデザインで見事に払拭している。

エンゼルバンド／太田春龍堂／80×106×33

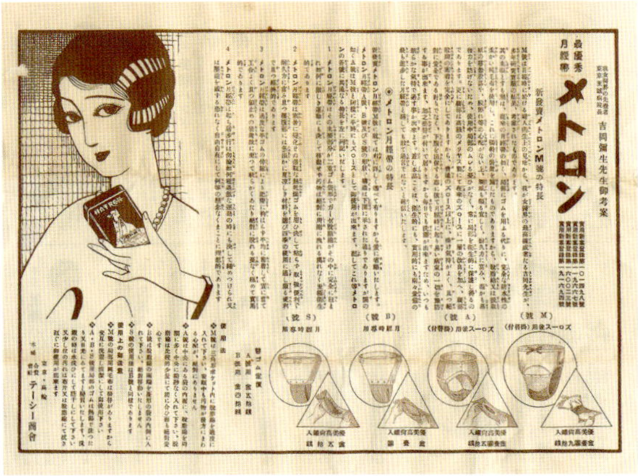

メトロンバンドの説明書／テーシー商会

シーズンバンド（箱）／太田春龍堂／88×159×35

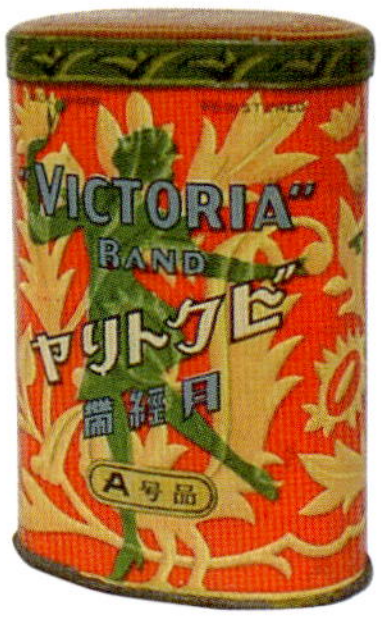

ビクトリアバンド／
大和ゴム製作所／
87×61×34

ビクトリアバンド／
大和ゴム製作所／
90×60×35

ビクトリアバンド／
大和ゴム製作所／
90×61×35

ミサオバンド／
91×61×35

むらさめ月経帯／徳田／
91×61×35

エンゼルバンド／
太田春龍堂／88×60×33

シーズンバンド／
太田春龍堂／90×61×35

エンゼルバンド／
90×60×35

メトロンバンド／
テーシー商会／107×80×40

フレンドバンド／
第一ゴム製作所／114×75×37

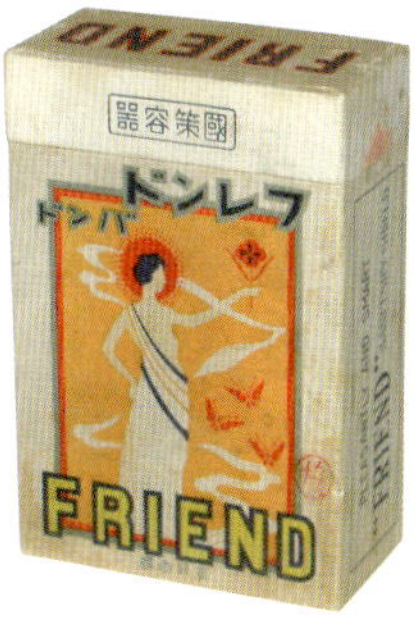

フレンドバンド（箱）／
第一ゴム製作所／112×78×40

エンゼルバンド／太田春龍堂／
110×89×46

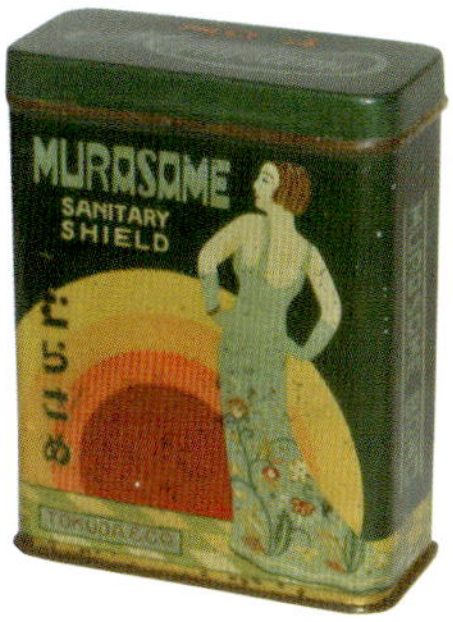

むらさめバンド／徳田／
97×76×35

ほまれバンド／106×82×40

ミヤコンバンド／80×106×33

シスターバンド／78×106×33

エンゼルバンド／78×108×37

ビクトリアバンド／大和ゴム製作所／
86×115×36

ビクトリアバンド／大和ゴム製作所／
76×106×34

ミサオバンド／77×106×33

シッカロールの製造元である和光堂の前身は、明治 39 年（1906）に医学博士引田長によって、東京神田に創設された和光堂薬局である。引田はドイツへの医学留学の後、東京帝国大学に国内初の小児科を開設したり、小児科学の教科書を出版する等、日本の小児医学に関して先駆的な業績を残した人物である。同薬局を開いたのも欧米の優れた幼児用栄養剤等を輸入販売するためであった。シッカロールは子供達のアセモ予防のため、引田が東京帝国大学薬学科の丹波敬三と共に生み出した商品で、開局と同年の明治 39 年に誕生した。アセモ治療にはそれまでも天瓜粉や米粉等が使われていたが、新製品は亜鉛華やでん粉を主成分とした処方品であり、その効用からお風呂上りの赤ちゃんにシッカロールをつけるという習慣が徐々に拡がっていった。シッカロールという名称は、ラテン語のシッカチオ（乾かす）にちなんだもので、後には、ベビーパウダーの代名詞として広く通用するようになった。容器には、赤ちゃんを抱くお母さんをモチーフにした絵が描かれているが、そのお母さんの髪型が時代に沿って流行を反映しながら変化しているのも興味深い。大正から昭和初期の容器に描かれたお母さんは、当時流行った束髪（そくはつ）を結っているが、昭和 10 年代になると耳を出した洋髪にかわり、戦後にはパーマネントヘアへと進化する。

シッカロールの缶／和光堂／
Φ78×H45／大正期の束髪

シッカロールの缶／和光堂／
Φ84×H55／昭和初期の束髪

シッカロールの紙容器／新和光堂／
Φ84×H55／
昭和初期（昭和10年代）の洋髪

シッカロールの紙容器／和光堂／
Φ85×H56／
戦後のパーマメントヘア

シッカロールの大箱／和光堂／177×267×57

ベビーパウダーの紙容器／資生堂／
Φ80×H56

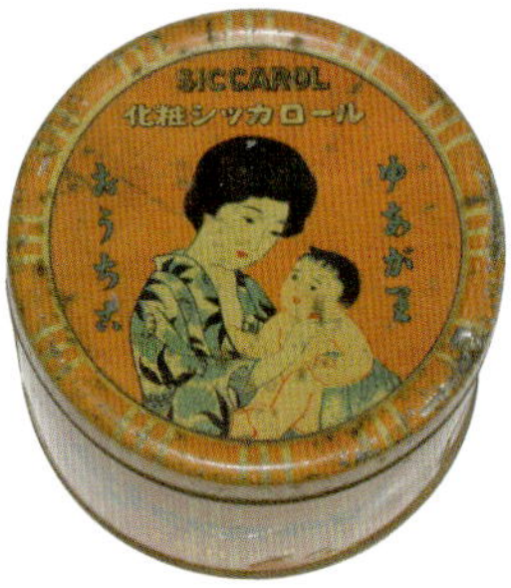

化粧シッカロールの缶／和光堂／
Φ73×H49

クラブ天瓜粉の箱／中山太陽堂／
83×62×15

あせしらずの缶／徳田商店／
111×73×16

あせしらずの缶／徳田商店／
Φ60×H40

クラブカテイベビーパウダーの紙容器／
太陽堂薬品株式会社／Φ84×H57

第3章
薬品

- 売薬
- 薬種
- 肥料
- 蚊取線香
- 樟脳

Drug

売薬

太古は加持祈祷が主であった病気治療も、奈良時代に大陸から漢方医学が伝わると、天然の動植物や鉱物から得られる「生薬」が用いられるようになった。但し、当時の生薬は非常に高価なもので、利用できるのは一部の貴族に限られていた。その後、仏教の普及に伴い、僧侶らによる医療活動が拡がり、その中で、包装された方剤、即ち「売薬」が販売されるようになった。売薬の起源は室町時代とも言われるが、江戸時代の中期より幕府の支援により発達し、江戸末期に隆盛を極めた。当時の売薬には、延齢丹、反魂丹、奇応丸、実母散、救命丸等があり、いまなお、商品として存在するものも多い。越中、近江、大和等の配置売薬の行商が始まったのも江戸時代で、特に富山の「反魂丹」はその元祖として有名である。反魂丹のエピソードとして次のような話が伝わっている。元禄３年(1690)、江戸城において、富山藩第２代の藩主前田正甫（まさとし）が、腹痛を起こしたある大名に自分がいつも携帯していた「反魂丹」を分け与えたところ、たちまち平癒した。それを見た多くの諸大名より自分の藩内でも販売してくれるように頼まれ、正甫は、薬種商松井屋らに命じて、薬の調製と諸国への行商を行わせたという。死んだ魂も生き返るというのが反魂丹の名前の由来で、古く中国より伝わった方剤であるといわれている。

幕末から明治にかけ、イギリス、アメリカ、及びドイツの医学が輸入されると、政府は西洋医学を優遇する政策をとった。これにより新しい化学薬が優先され、それまでの漢方医学に基づく売薬類は打撃を受ける事になるが、大衆の大きな支持により衰退する事はなく、存続した。

薬袋のデザインについては、明治の初期は和紙に木版で商品名を印刷しただけの簡単なものであったが、やがてポンチ絵等が用いられビジュアル化されるようになった。明治も後半になり、銅版や石版印刷が登場すると、図案もカラフルになり、一目でその薬の効用が連想されるものに発展していった。

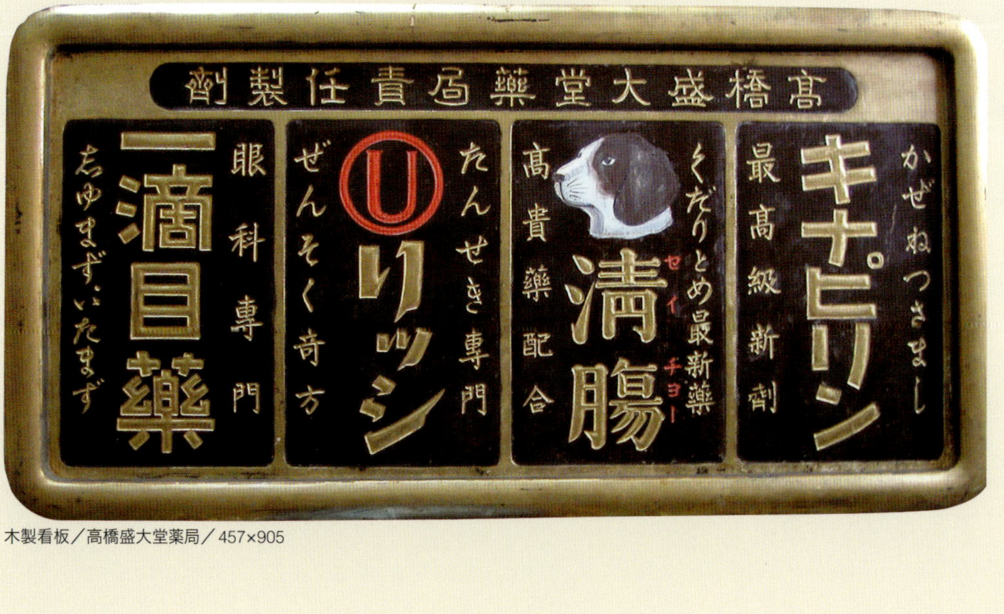

木製看板／高橋盛大堂薬局／457×905

江戸時代の売薬は経験に基づく処方で自家製造されたものが多く、袋にも、家伝、秘伝等の表現が良く使われていた。包装も一服毎に効能書きが書かれた薄紙に丁寧に包まれており、高価なものであったことが伺える。明治 3 年（1870）に売薬取締規制が公布され、薬の販売が政府の許可制となると、それまでの家伝、秘伝等の表現は禁止され、代って「官許」というお墨付きが付記されるようになった。官許第一号の売薬として知られるのは守田治兵衛の「寳丹」である。コレラの予防薬として重宝された寳丹は、岸田吟香の目薬「精錡水」と双璧をなす明治初期の人気売薬であった。また、守田、岸田の両氏は近代広告の先駆者として名を残しており、当時一般に浸透しつつあった新聞や雑誌に多くの広告を掲載し、効果的に商品の PR を行う事に成功した。

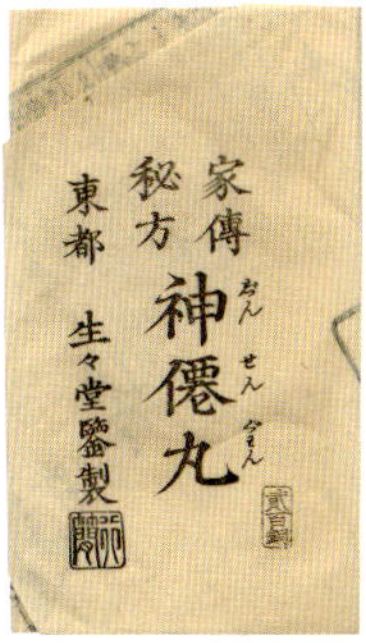

神僊丸／生々堂／199×115

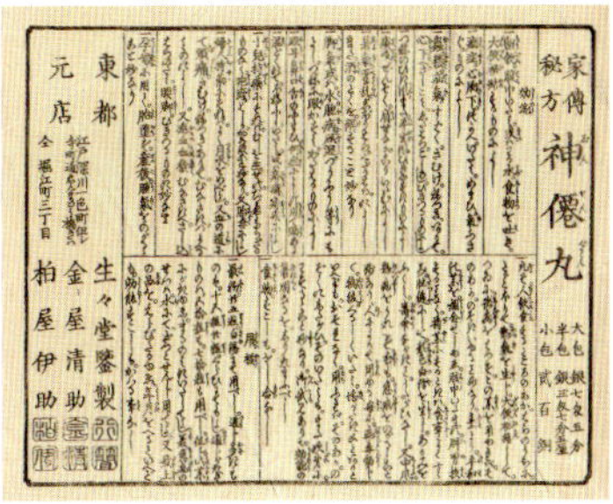

神僊丸の効能書

寳丹／守田治兵衛／Φ29×H7

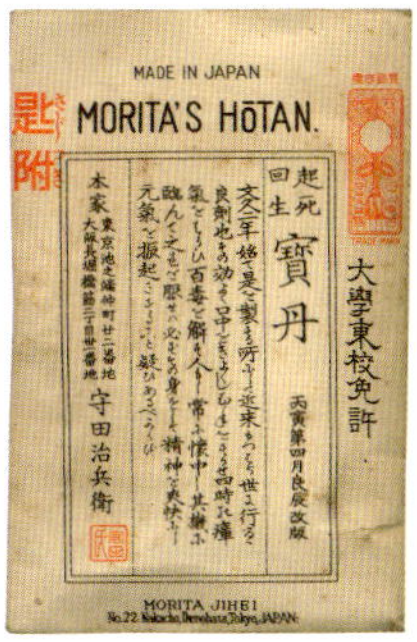

寳丹／守田治兵衛／92×61

寳丹水／守田治兵衛／H66

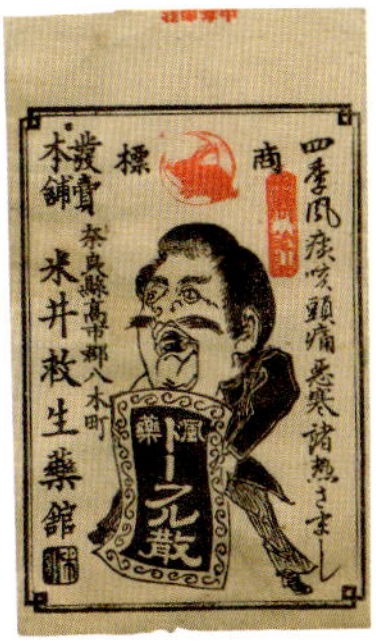

ドーフル散／米井救生薬館／115×69

奇應丸／高瀬兼喜／112×59

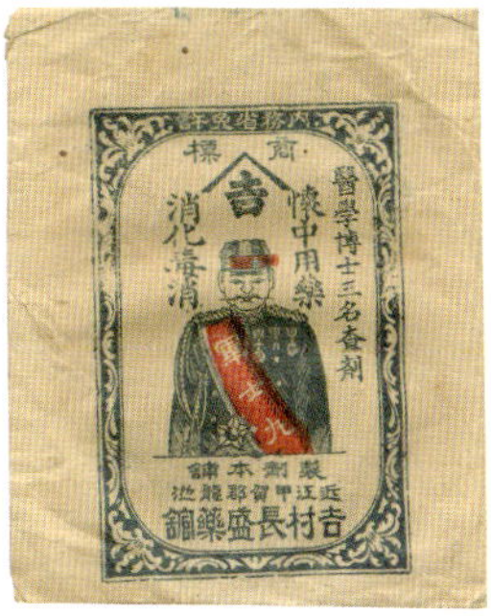

軍士丸／吉村長盛薬館／115×93

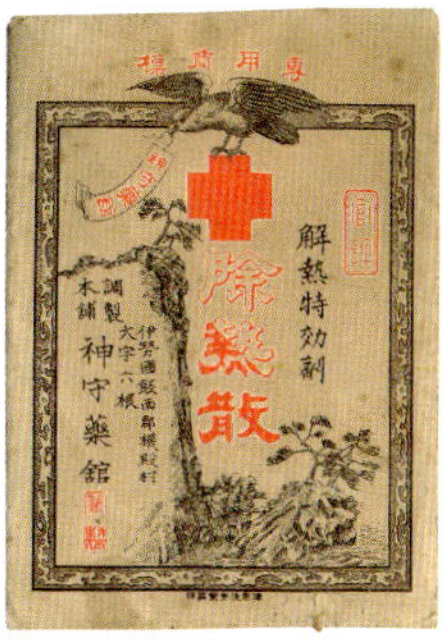

除熱散／神守薬館／115×84

小児龍子丸／安達吉右衛門／143×82

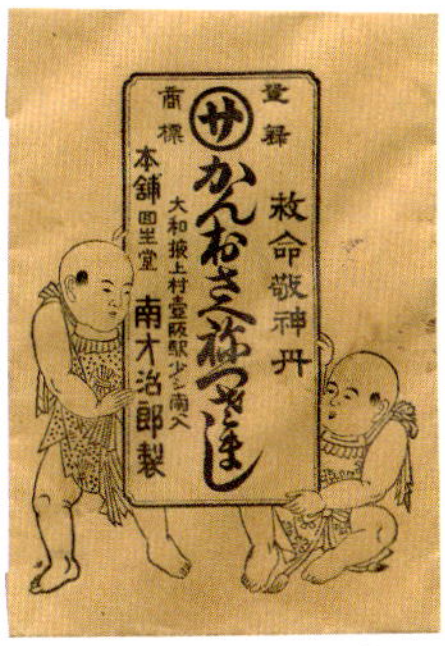

救命敬神丹／南方治郎／108×76

奇妙丸／西村盛春堂／108×74

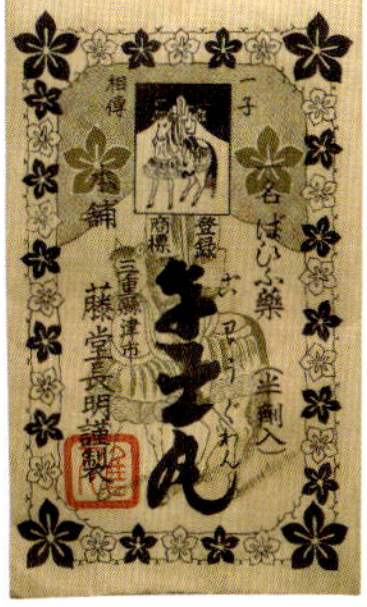
午王丸／藤堂長明／148×89

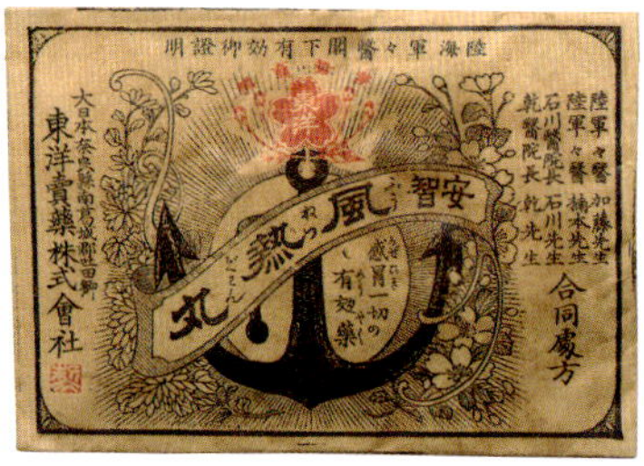

風熱丸／東洋売薬／69×100

小児ドクトル／千種旭光堂／83×115

小児百毒丸／永田義原／88×121

かぜトンプク／いぬゐ製薬社／
98×70

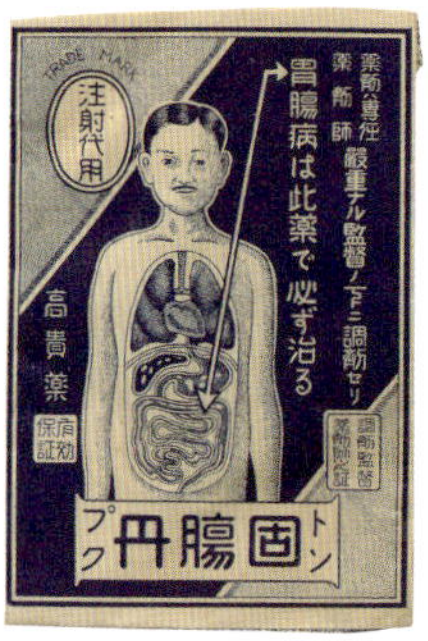

固腸丹／大和製薬社／97×66

千金丹／岡内勤弘堂／
115×75

ヘブリン丸／参天堂／124×84

神丸／三龍園製薬／92×74

腹妙／山中救生社／111×80

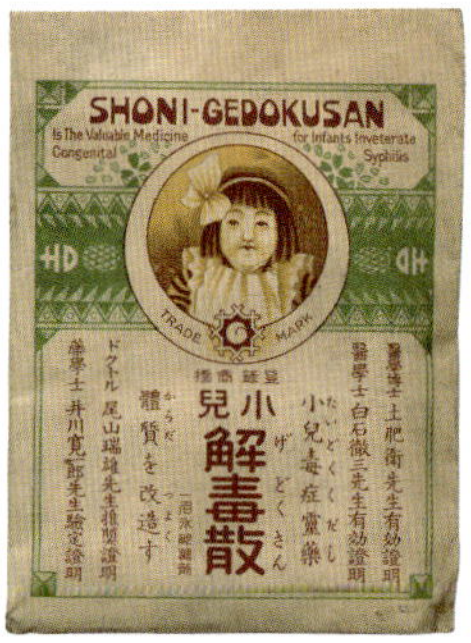

小児解毒散／吉村仁平商店／
119×90

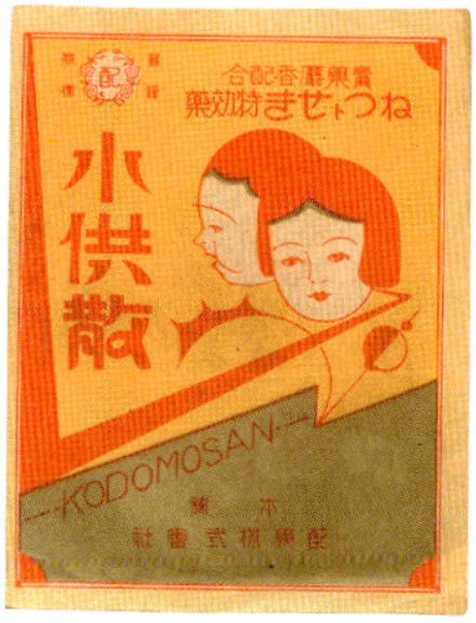

小供散／配薬株式会社／91×71

ネツトリ頓服／
中川高級新薬研究所／107×75

ヨーキク丸／朝日堂薬房／
91×63

小児胎毒丸／加藤翠松堂／
132×85

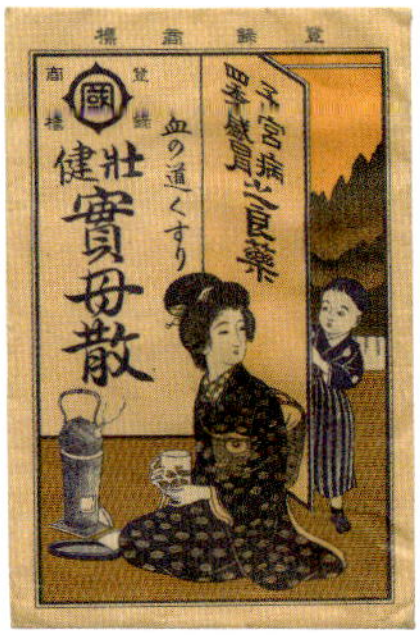

實母散／富國薬業／133×88

薬の袋は大きく３つに分類される。１～２回服用分の薬を入れる中袋、同じ中袋をまとめて入れる外袋、更に外袋は何種類かを一緒に預け袋に入れられる。中袋と外袋には通常同種のパッケージデザインが施されていた。図案は一見して薬の効用をイメージさせるものが多い。トンプクには、だるまや天狗、小児薬には子供、婦人薬には女性、胃腸薬には内臓の解剖図や布袋様等が用いられた。だるまは寝込んでもすぐに起き上がるイメージ、天狗は団扇で病気を吹き飛ばすイメージ、布袋様はその大きなお腹から強い胃腸のイメージが連想される。単純明快でインパクトのあるデザインは、商品のPRに加え、緊急の場合でも袋を間違えずに選べるようにした使いやすさへの配慮もあるのであろう。

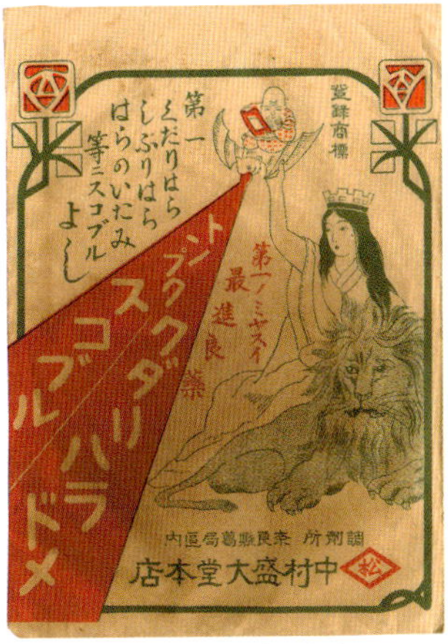

スコブルの外袋／中村盛大堂／173×123

スコブル中袋／94×69

健國湯の外袋／富國薬業／180×127

トンプクはら薬の外袋／乃木製薬／166×121

頓服風薬の外袋／乃木製薬／170×126

毘爾斯の外袋／師天堂／170×118

ねつとり散の外袋／越中薬業／170×123

熊膽圓の外袋／富國薬業／146×101

江戸時代に越中富山から始まったとされる薬の行商は、柳行李を担いだ行商人が全国各地の家庭を回り、あらかじめ預けておいた置き薬から使われた分だけの代金を徴収するという「先用後利」のシステムである。強い信頼関係に基づく顧客本位の商いは、医療の行き渡らない時代に全国津々浦々に浸透していった。お得意先には、目立つデザインが施された預け袋や預け箱が置かれ、そこに入れられた各種の置き薬が家人の健康を支えていた。行商人がお土産に持参する、売薬版画や紙風船も大変人気があった。

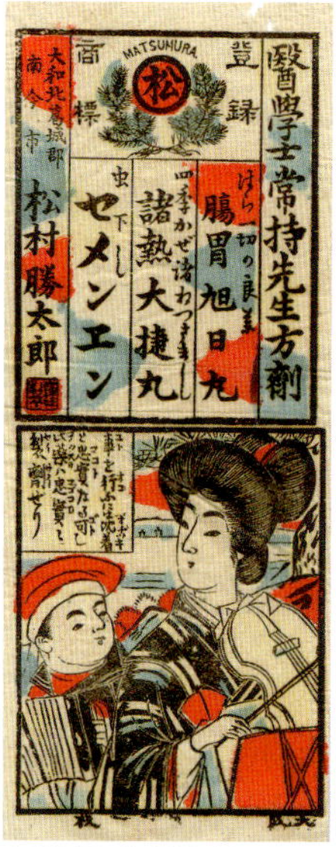

売薬版画／松村勝太郎／295×111

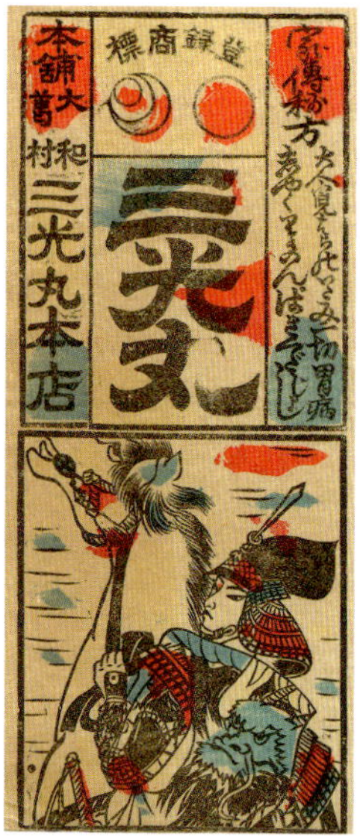

売薬版画／三光丸／260×114

紙風船／69×135

預け袋／宮阪保生堂薬房／344×269

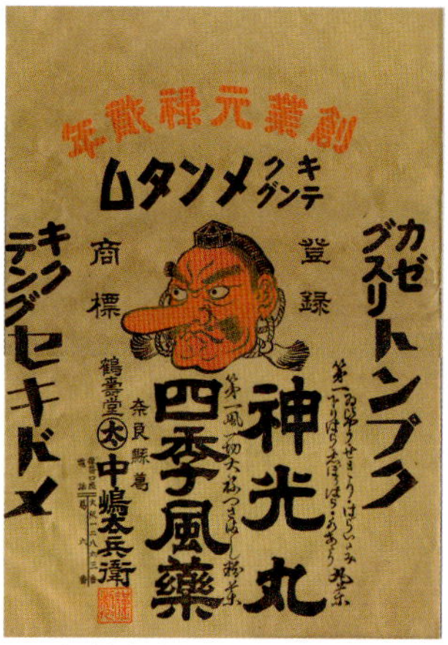

預け袋／鶴壽堂中嶋太兵衛／367×264

預け袋／川田滋盛館／302×226

預け箱／廣貫堂／223×166×65

預け箱／赤井達磨堂薬房／228×170×88

預け箱／近江売薬／190×135×91

「健脳丸」は明治29年(1896)に丹平商会より、創業者森平兵衛の長年の研究の成果として発売された。脳病・神経病に対する良薬として、脳充血、のぼせ、頭痛、神経痛等への効能がうたわれていた。しかし実際の効用は便秘薬に近く、宿便を解消する事により、頭をすっきりさせるという間接的な効果を狙ったものだったようである。人の横顔に健脳丸と入れた大胆な商標は非常にインパクトが強く、同薬を多くの人々に印象付ける大きな役割を果たした。

テーリン錠／和光堂／Φ56×H24

ヘブリン丸／参天堂／Φ95×H26

健脳丸／丹平商会／H64

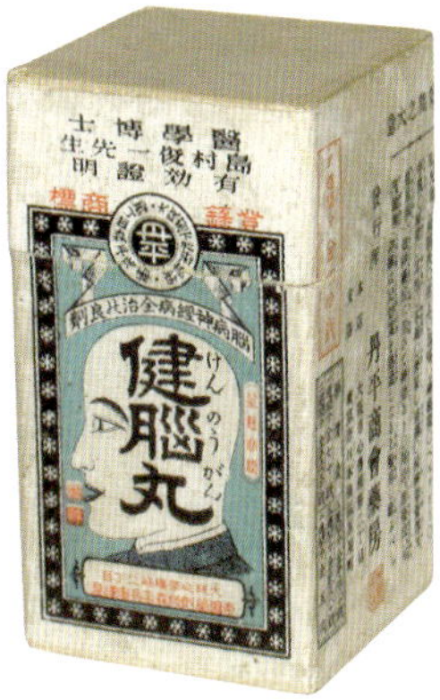

健脳丸／丹平商会／78×44×45

ハート丸／佐野大和堂／86×86×38

征露丸／帝國博愛團／110×64×22

脳丸／85×44×30

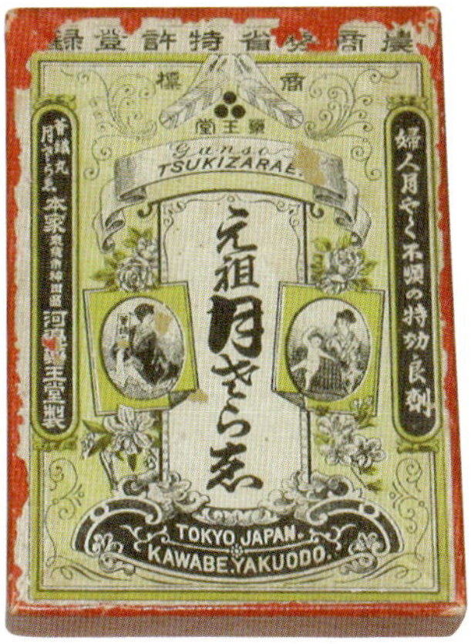

元祖月ざらえ／河辺薬王堂／108×77×15

悪血通経丸／中村五一／112×74×25

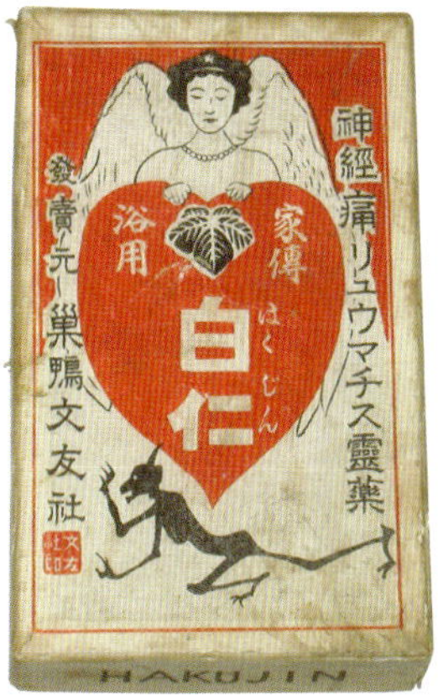

白仁／巣鴨文友社／122×76×27

「神薬」は明治時代に一世を風靡した万能薬である。コバルトブルーに輝く美しいガラス容器のそれは、資生堂から発売されたものであるが、その起源や発売経緯については詳しい事が分かっておらず、謎めいた売薬とも言える。明治から大正にかけて国内に併存していた複数の資生堂（本町資生堂、新田資生堂、邑田資生堂等）から相次いで発売されており、当時の新聞広告にもビンのイラスト入りの広告が載せられている。ただ現在の化粧品の資生堂のルーツである福原資生堂からは、文献等に記録が残っていない事等から、発売されていなかった可能性が高いようである。

白い絆創膏／旭十商会／Φ43×H203

歌橋ピック／歌橋製薬所／Φ43×H197

莨若絆創膏／歌橋製薬所／Φ43×H197

神薬／資生堂／H92

神薬（上部欠け）／資生堂／H54

一度膏／純生堂／Φ47×H10

ホシ紫雲膏／星製薬／Φ40×H16

福壽丹／L65

清秀丹／廣貫堂／L62

テリアカ／近江薬業／Φ51×H27

小松痔退膏／玉置／Φ50×H20

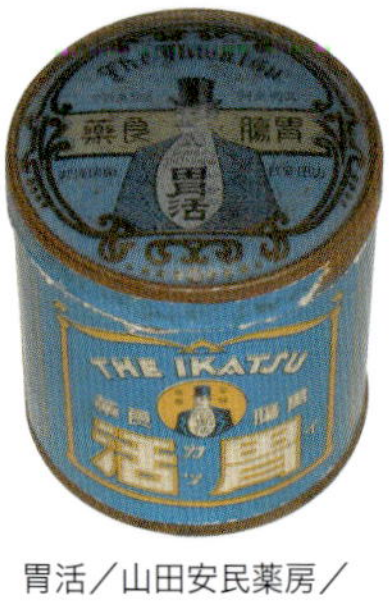

胃活／山田安民薬房／Φ60×H63

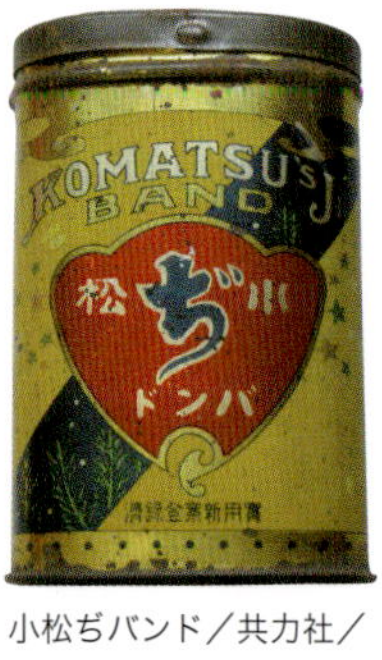

小松ぢバンド／共力社／35×60×91

行丹／大峯堂／39×39×7

龍角散／Φ30×H9

目薬は江戸時代より軟膏タイプのものが貝殻等に入れられ売られていたが、本格的な製品としては、明治初期に岸田吟香により発売された「精錡水」が有名である。当時としては貴重なガラスの小ビンに入れられた国内初の水目薬であった。米国人宣教師のヘボンにより製法が伝えられたもので、その効用に加え、当時普及し始めたばかりの新聞への先駆的な広告により人気を博した。
その後、精錡水に代って台頭したのが、田口参天堂より明治32年（1899）に発売された「大學目薬」である。帝国大学附属病院の処方に基づく大衆向けの目薬で、トレードマークにドイツ人医師のベルツ博士を用いた。点眼法もガラス管と針金製の綿棒を用い、薬瓶から吸い上げた液を目に垂らす新しい方式であり、その目新しいイメージが大いに受けた。一方、大学目薬のその後のライバルとなるロート目薬が山田安民薬房より発売されたのは明治42年（1909）である。こちらは、コバルトブルーの美しい容器と西洋女性を商標に用いてモダンなイメージを演出した。更に、昭和初めには、点しづらさを飛躍的に改善したゴムキャップ方式の新型容器が山田安民薬房により開発され、それをきっかけにして目薬は広く一般に浸透した。

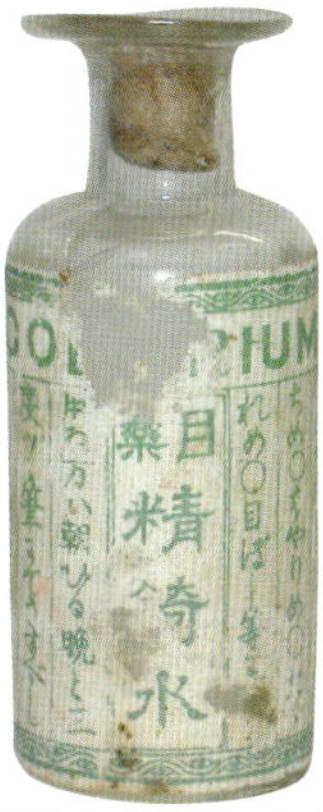

精錡水の瓶／岸田吟香／H51

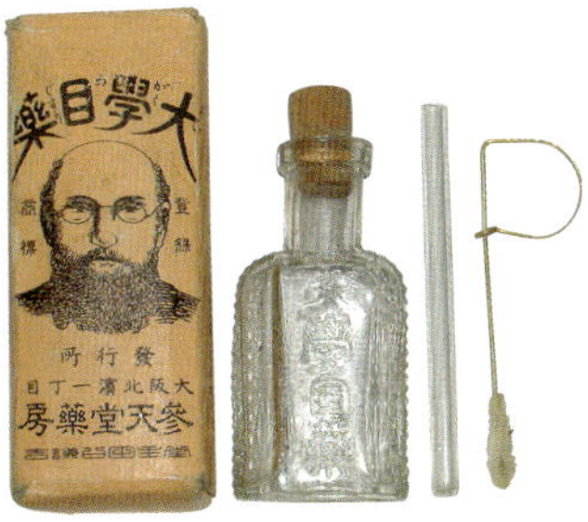

大學目薬の瓶と外箱／参天堂薬房／H57

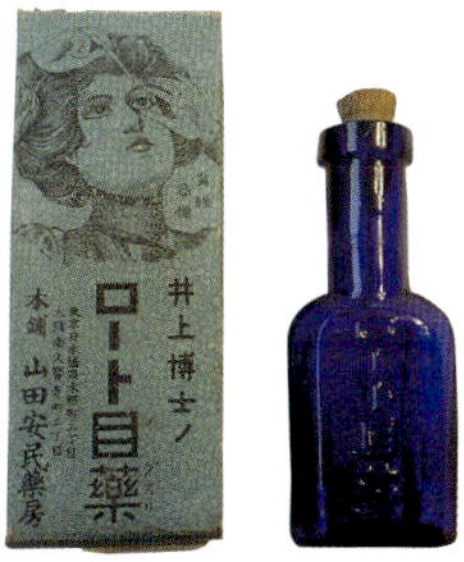

ロート目薬の瓶と外箱／山田安民薬房／H68

一方水の瓶と外箱／邑田資生堂／H37

大學目薬の両口点眼瓶２種／
参天堂／
H88・H77（ゴムキャップ方式の容器）

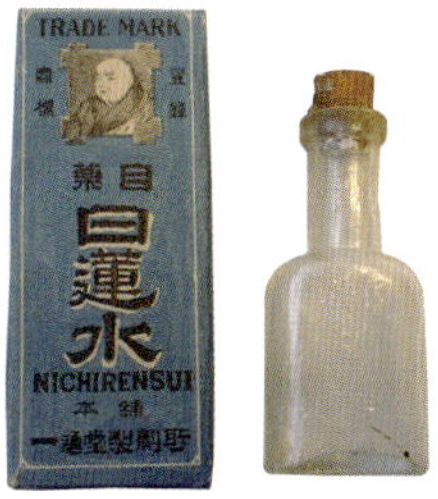

日蓮水の瓶と外箱／
大野一郎薬房／H65

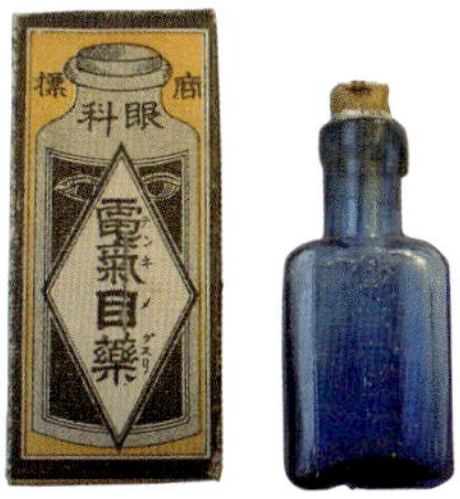

電気目薬の瓶と外箱／
東洋製薬／H66

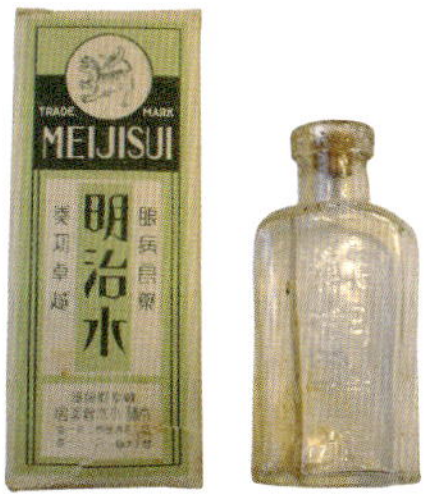

明治水の瓶と外箱／
小木曾薬房／H65

コドモ踊印純良オブラート／
オオタカ／Φ88×H44

ヤクショーオブラート／
東京薬粧商業組合／Φ80×H7

ビリケンオブラート／
龍見照吉商店／Φ80×H9

鶴印柔軟オブラート／
高野盛大堂／Φ80×H7

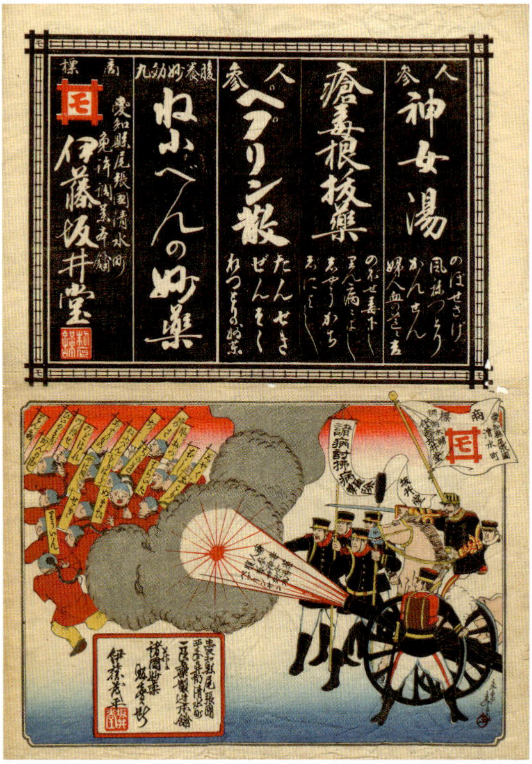

薬の引札／伊藤坂井堂／510×367

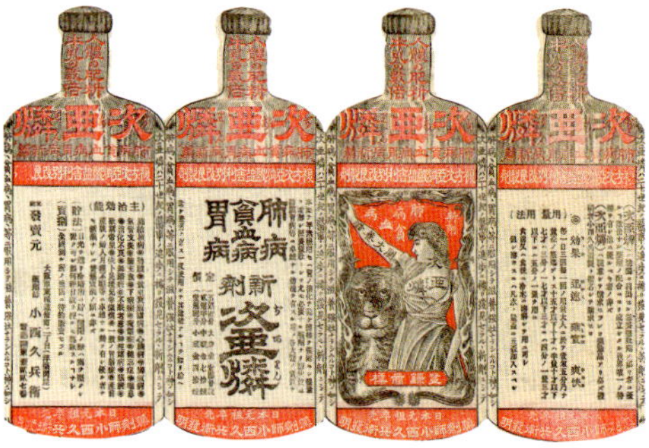

次亜燐のチラシ／小西久兵衛／200×304

サンピラリンの紙看板／富士谷薬房／264×332

薬のチラシ／竹内薬館／495×193

薬のチラシ（大正３年）／山田安民薬房／545×195

オゾのブリキ看板／308×107

人参三臓圓のチラシ（大正６年）／吉野五運／486×171

宇津救命丸の引札（大正２年）／宇津権右衛門／263×380

感應丸の引札／岡宝充堂／252×381

喜谷實母散のノベルティ／喜谷市郎右衛門／73×174

ホシ小児薬のラベル／星製薬／60×174

五龍圓の絵葉書／富松武助薬房／140×89

ソマトーゼの絵葉書／139×91

キングのノベルティ／110×170

パーキュロのノベルティ／170×73

パラヌトリンのノベルティ／152×54

ホルゲンのノベルティ／156×63

喜谷實母散のノベルティ／喜谷市郎右衛門／52×150×83

中将湯は、津村重舎が明治 26 年（1893）に創業した津村順天堂より、売り出された婦人向けの生薬製剤である。創業当時、重舎は奈良から上京したばかりの 23 才の青年で社員数もわずか 3 人からのスタートであったが、中将湯の普及には強い意欲で臨んでいた。そもそも中将湯は、重舎の母の実家に伝わる婦人病の妙薬であり、その由来は悲運の生涯をたどった中将姫の伝説に基づいている。天平 19 年（747）に藤原豊成（鎌足の孫）とその妻（紫の前）の間に中将姫がもうけられたが、不幸にも姫が幼くして母が亡くなってしまった。その後、豊成は後妻を迎えたが、姫はその義母に好かれることなく、再三いじめにあい、ついに、豊成の留守中に家を追い出されてしまった。後に、豊成に発見され連れ戻されはしたが、居場所のない姫は、間もなく当麻寺に入り仏教の道を歩む事を選んだ。寺での修行時代、周囲の山の薬草を処方したくすりを庶民に施していたが、それが中将湯として伝わったのである。重舎は中将湯を広く PR するためにまず新聞広告を大々的に打った。創業後わずか 20 日後に紙面の大部分を占める斬新な広告を出し人々を驚かせたという。その後、店頭看板や引札等で販促・宣伝展開し、PR の天才と呼ばれた。引札は、毎年中将姫をモデルとした暦付きのものが全国の特約店からお客様に配られていた。また大正時代には、人気挿絵画家の高畠華宵を新聞広告等に起用し、その繊細な図案が多くを魅了した。

中将湯看板が見える風景絵葉書（横浜吉田橋）／91×141

中将湯の引札（明治36年）／津村順天堂／260×382

中将湯のパッケージ／津村順天堂／140×86×28

中将湯の引札（明治40年）／津村順天堂／255×376

中将湯のパッケージ／津村順天堂／70×90×25

中将湯の引札（明治37年）／津村順天堂／264×380

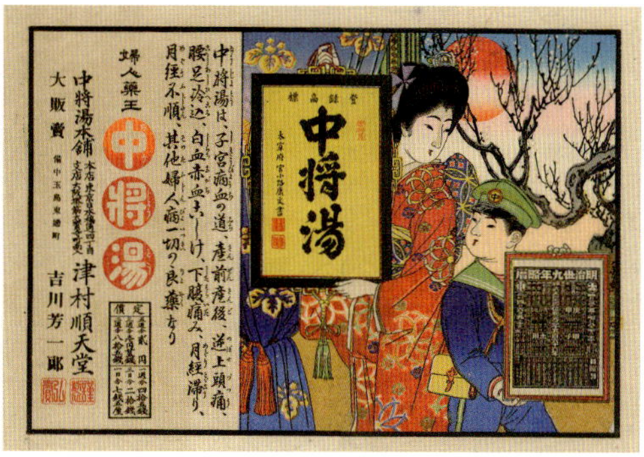

中将湯の引札（明治39年）／津村順天堂／257×379

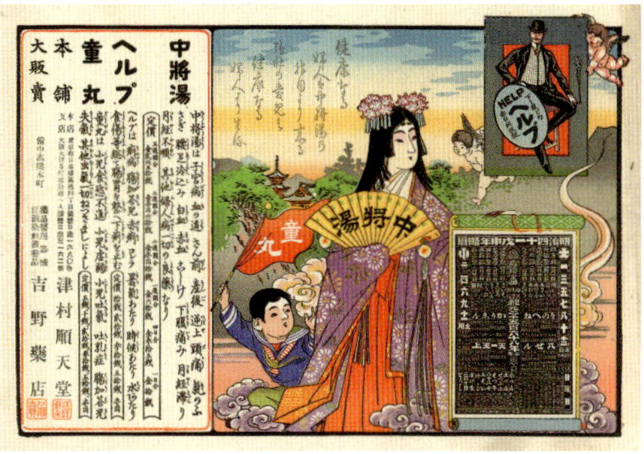

中将湯の引札（明治41年）／津村順天堂／260×373

中将湯の引札（明治42年）／津村順天堂／260×374

中将湯の引札（大正2年）／津村順天堂／255×376

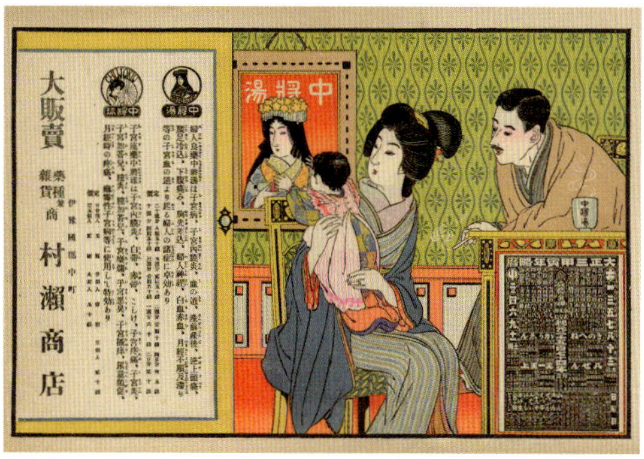

中将湯の引札（大正3年）／津村順天堂／253×376

中将湯の引札（大正5年）／津村順天堂／261×380

中将湯の引札（大正6年）／津村順天堂／260×380

仁丹の創業者である森下博は、少年時代に福沢諭吉の影響を受け、新しい世界への憧れを抱きながら、故郷の広島から大阪へ丁稚奉公に出た。そして洋品問屋での下積みを経て、明治26年(1893)に25歳の若さで薬種商「森下南陽堂」を開業した。同社の最初のヒット商品は、明治33年(1900)に発売した梅毒薬「毒滅」である。商標として、ドイツの鉄血宰相ビスマルクの横顔を使い、新聞広告等で大々的にPRを推進、当時の需要にもマッチし、大成功を収めた。次に同社が総合保健薬として商品化したのが「仁丹」である。森下が台湾出征時に現地で出会った丸薬をモデルに開発されたもので、千葉大学の三輪、井上両医学博士の協力を仰ぎながら数年を懸けて処方を完成し、明治38年(1905)に発売された。(この頃、社名も森下博薬房と改称) 仁丹の「仁」は儒教の「仁義礼智信」からとられたもので、中国を初めとする東洋諸国への輸出が強く意識されている。その後の仁丹の大躍進の歴史は、宣伝広告の歴史と言っても過言ではない。口ひげをたずさえた大礼服の男性をトレードマークとして、新聞広告、店頭看板、繁華街の広告塔など、あらゆる媒体を使ってのイメージPR作戦が功を奏し売上を伸ばしていった。男性モデルの由来としては、『森下仁丹80年史』では次のように伝えられている。「そのデザインの骨子となっているものは、毒滅の広告に使った宰相ビスマルクである。それが年とともに森下南陽堂のトレードマークに成長しつつあった過程でビスマルク像がさまざまに図案化され、デフォルメされていったのである」しかし、現在は創業者が直接残した話として、外交官だという説が有力となっている。いずれにせよ、100年を経過した現在まで残り、人々に親しみ続けられている威風堂々とした商標である。また販促策の一環として携帯用容器が商品に添付された。ニッケル製の小粋な小物は、色々なバリエーションが揃えられ、当時の人々に広く愛用された。

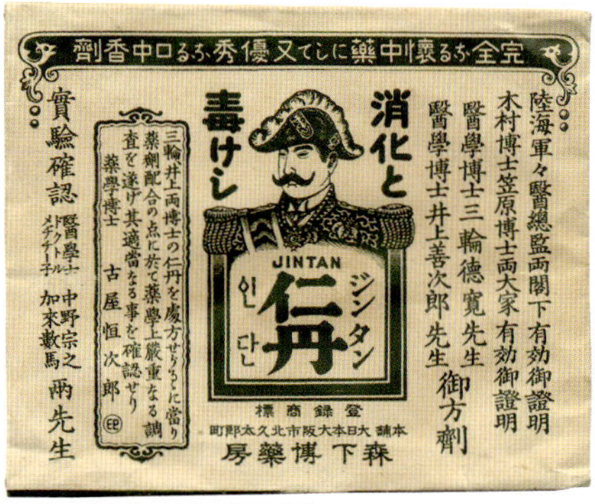

仁丹の外装袋／森下博薬房／86×106

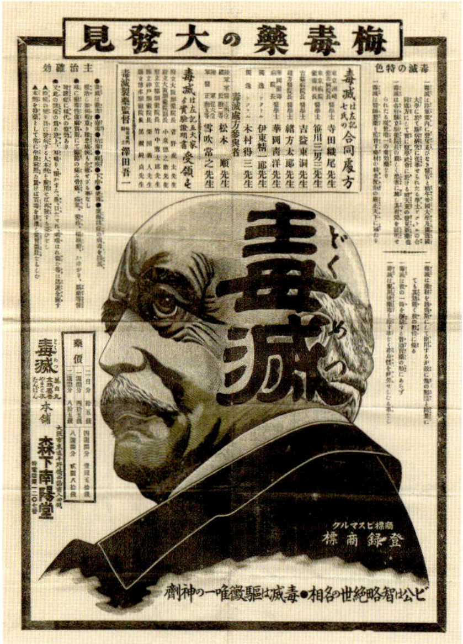

毒滅の広告／森下南陽堂／550×396

仁丹のチラシ／森下博薬房／190×132

仁丹の広告看板が見える風景絵葉書(大阪道頓堀)／91×142

仁丹の広告看板が見える風景絵葉書(浅草公園)／91×140

仁丹桐箱／森下博薬房／70×92×34

仁丹丸形容器／森下博薬房／Φ45×6

仁丹角形容器／森下博薬房／39×39×6

仁丹楕円形容器／森下博薬房／47×35×6

仁丹一粒出し容器／森下博薬房／51×33×15

仁丹瓢箪形容器／森下博薬房／49×31×9

仁丹書籍形容器／森下博薬房／50×36×10

仁丹ブリキ缶／森下博薬房／100×148×49

仁丹楕円形容器／森下博薬房／33×46×6

仁丹四季容器／森下博薬房／33×48×10

仁丹の販促策の一環として考案されたのがニッケル製の携帯用容器である。大正初期の新聞広告に「五十銭包に無代添付」とあるので、一定量の仁丹の購入者に対しおまけとして配布されていた。容器の形状は多種に及ぶが、中でも書籍形容器と四季容器が出回った数が多かったようである。四季容器は、表の面に日本の伝統的な文様と仁丹の商標、裏面に日本の名所風景があしらわれた容器で、大正4年（1915）から仁丹に添付された。当時の広告には、「雅趣津々たる日本の四大名所。春の橋立、夏の松島、秋の宮島、冬の富士」とあり、日本三景と富士山が4種類の容器に各々デザインされていた。中を開くと鏡や爪楊枝入れも現れる優れ物であった。

仁丹俵形容器／森下博薬房／35×53×8

仁丹四季容器（裏面）／森下博薬房／33×48×10

口中香錠としてヒットした商品に「カオール」がある。発売元の安藤井筒堂は、安藤福太郎により明治27年（1894）に創立されたメーカーで、創業時に売り出された象印歯磨で成功を収めた。カオールは明治32（1899）年の発売で、仁丹同様、携帯用容器も合わせて出されており、鞄形、ガマ口形、福槌形等、ユニークで愛嬌のある形状で人気を呼んだ。川端康成の小説『伊豆の踊り子』の一場面に、踊り子の名前の薫に掛けて登場する事でも知られている。安藤井筒堂の事業は戦後、オリヂナル薬粧株式会社に引き継がれ現在に続いている。

カオール桐箱入福槌形容器／安藤井筒堂／61×48×26

カオール鞄形容器／安藤井筒堂／23×43×8

カオールガマ口形容器／安藤井筒堂／36×44×10

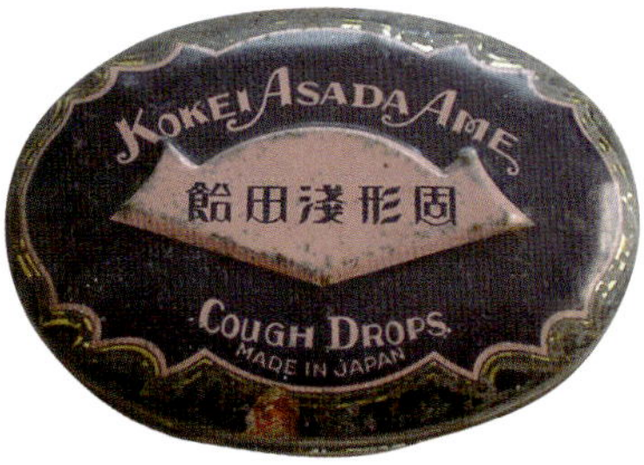

固形浅田飴の缶／堀内伊太郎商店／58×82×22

浅田飴の原型は、明治 20 年（1887）に堀内伊三郎が売り出した「御薬（おんくすり）さらし水飴」である。その処方は、当時の漢方医の大家であった浅田宗伯により考案されたもので、書生をしていた伊三郎に伝授されていた。水飴に桔梗や人参を調合した「舐めるのど飴」という新しい形態の薬であった。伊三郎の後、家業を受け継いだ息子の伊太郎は、父親以上に商才にたけた人物で、商品名を生みの漢方医に因んだ「浅田飴」に替えるとともに、「良薬にして口に甘し」、「たんせきに浅田飴、すきはらにめし」等のユニークで分かり易いキャッチコピーを使い売上を伸ばした。宣伝手段としては特に引札（ひきふだ）に力を入れ、カラフルなものを製作し地方にまで配布した。そこには、名コピー「すきはら～」の背景にもなった歌舞伎「伽羅先代萩（めいぼくせんだいはぎ）」の御殿の場での鶴千代と千松の姿が描かれている。大正 15 年（1926）には携帯にも便利な固形浅田飴を誕生させ、全国への普及を促進させた。

浅田飴の引札（大正5年）／堀内伊太郎商店／255×370

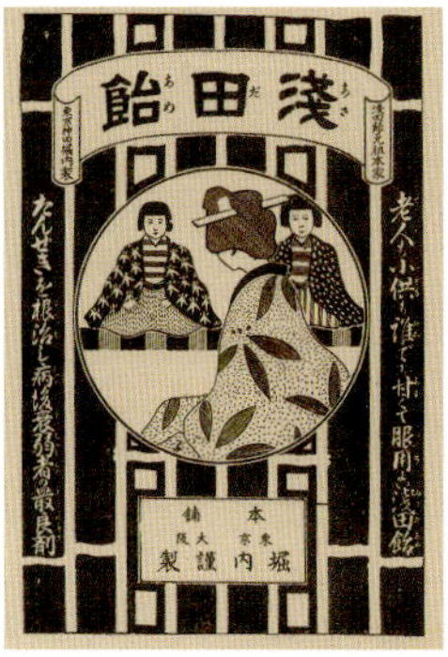

浅田飴のチラシ／堀内伊太郎商店／225×153

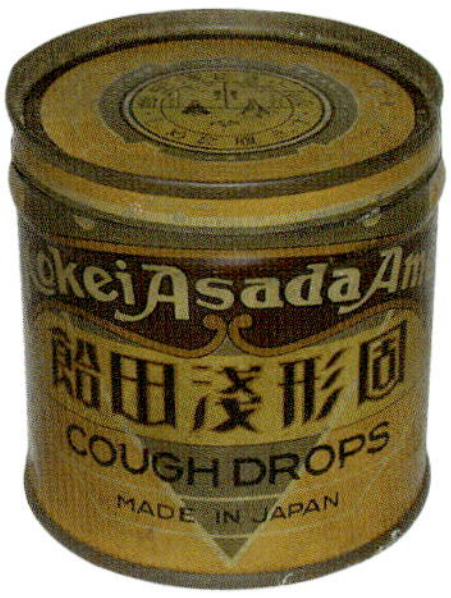

固形浅田飴の缶／堀内伊太郎商店／Φ76×H76

浅田飴の引札（大正4年）／堀内伊太郎商店／269×392

浅田飴の引札（明治41年）／堀内伊太郎商店／272×392

浅田飴の引札（大正7年）／堀内伊太郎商店／383×267

商標ラベル／田邊五兵衛商店／64×67

大阪の道修町（どしょうまち）は、江戸時代より多くの薬種商が軒を連ね、全国への薬種の流通基地として繁栄してきたくすりの町である。現在でも薬種商から発展した複数の大手製薬会社が本社を構えている。町は豊臣時代に始まり、江戸時代には「道修町薬種中買仲間」という株仲間が組織され、中国から長崎経由で大坂に運ばれた唐薬種を一手に取り扱っていた。また、国産の和薬種に関しても幕府に公認された「和薬種改会所」として流通の統制を担う拠点であった。道修町に集結された内外の薬種は、品質や量目が吟味されるとともに適正な価格が付けられ、全国の問屋や薬屋に信用のおける商品として提供されていたのである。明治になると神戸等の外国商館から輸入される西洋薬の商いが次第に主流となっていくとともに、製薬事業に着手する薬種商も現れ、町の事業はますます発展していった。その頃には、武田、田邊、塩野義の三店が御三家と呼ばれ、町の薬業発展の先導役であった。
製品の意匠面では、薬種がくすりの原料であるという性質上、売薬のように商品名を記した袋類の存在は少ないが、店名を示したラベルや封緘が残っている。品質、信頼性の高さを誇示するように重厚で緻密な図案が多い。

商標ラベル／
バイエル・マイステル・ルチウス薬品合名会社／
122×104

商標ラベル／小西喜兵衛商店／74×63

商標ラベル／廣業合資会社／
100×71

商標ラベル／小池祥一商店／101×74

商標ラベル／大日本製薬／
φ44

商標ラベル／田邊五兵衛商店／
φ40

商標ラベル／武田長兵衛商店／
φ40

商標ラベル／
KAKEMI KIOTO／φ46

商標ラベル／草薬堂森田薬房／
φ46

商標ラベル／友田合資会社／
φ63

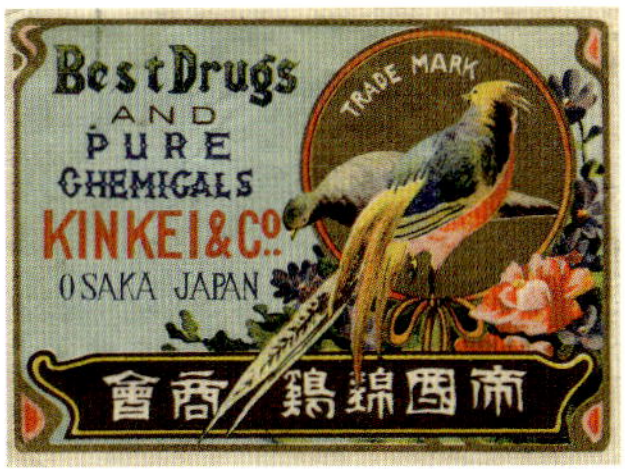

商標ラベル／帝國綿鶏商会／77×106

商標ラベル／帝國製薬／
66×78

商標ラベル／山田製薬所／
φ50

商標ラベル／中田商店／
φ48

明治後期から大正にかけて、美人画が商品ポスターにしきりに用いられるようになった。著名な画家の絵画を使った、百貨店やビール、化粧品等の華やかなポスターが良く知られているが、肥料の分野でも秀逸な作品が多く残されている。他分野の美人画ポスターが、絵画として描かれたものを鑑賞用ポスターにアレンジしたものが多いのに対し、肥料分野のそれは、最初から広告図案を意識して描かれており、美術的要素とインフォメーション的要素のバランスが絶妙である。アール・ヌーボー風の装飾がうまく施されているものもある。これら、肥料分野でのポスターの隆盛は、多木製肥所の貢献が大きいと思われる。明治 18 年（1885）に創業した同社は、販促活動に力を入れ、独創的なアイディアで巧みに人々の心をつかんだことで知られており、ポスターや絵ハガキの図案に力を入れ、すぐれた作品を数多く残している。ビールや百貨店に比べれば、少しマイナーで分野ではあるが、そこにも、素晴らしい商業美術が息づいていたことに、敬意を表したい。

絵葉書（大正4年）／多木製肥所／91×139

ポスター（明治42年）／人造肥料販売／783×256

ポスター／多木製肥所／537×370

ポスター／多木製肥所／735×516（上部欠け）

ポスター／関東酸曹／540×382

ポスター（明治41年）／大阪硫曹／538×386

ポスター（明治39年）／大阪硫曹／542×386

Mosquito Coils

蚊取線香

電子式の蚊取器が普及した現在でも、蚊取線香は日本の夏になくてはならない風物である。その嚆矢《こうし》は金鳥であるが、開発の歴史は和歌山から始まった。明治18年（1885）に和歌山みかんを輸出しようと上山《うえやま》商店（現、大日本除虫菊株式会社）を立ち上げた上山《うえやま》英一郎は、恩師である福澤諭吉の紹介で米国の植物会社社長H．E．アモアに自家みかん園を案内した。そのお礼にもらった除虫菊の種を蒔いたのが日本での本格栽培の始まりである。当初は、摘んだ花を乾燥させ粉状のままのみ取り粉として使用していたが、その方法では蚊の駆除には不適であった。思案の末、仏壇用線香からヒントを得て、明治23年（1890）に棒状の蚊取線香を誕生させた。しかし、棒線香は約40分で燃え尽きてしまい、その上、細いため煙の量も少なかった。その後、夫人の助言を参考にして開発に成功したのが渦巻型である。燃焼時間が長い渦巻型は、明治35年（1902）に製品化され、またたく間に普及した。一方、現在まで長い年月を経て、親しまれている金鳥マークが登場したのは明治43年（1910）である。史記、蘇秦伝の「鶏口となるも牛後となる勿れ」という一節に基づいており、それは、英一郎の信条を表しているという。

英一郎は自社の発展に尽くすだけに留まらず、除虫菊の全国的な栽培普及にも努力し、その種子や苗を数多く分与している。その努力が実を結び、やがて生産は紀州を中心に全国に拡がり、数多くの会社が蚊取線香作りを手掛けるようになった。中国やアメリカへの輸出も盛んであったという。

かとりの煙のポスター／380×172

スポーツ蚊取線香のチラシ／296×215

金鳥の渦巻／大日本除虫粉／110×110×42

雞冠蚊香（輸出用）／大日本除虫菊／110×110×42

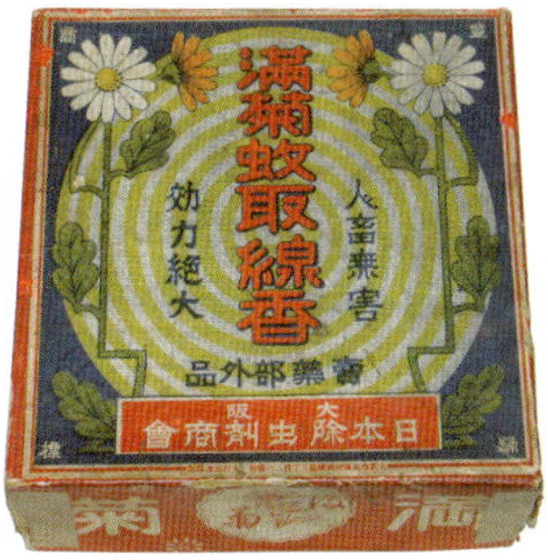

満菊蚊取線香／日本除虫剤商会／113×113×41

渦巻蚊取線香／種田東雲堂／118×118×35

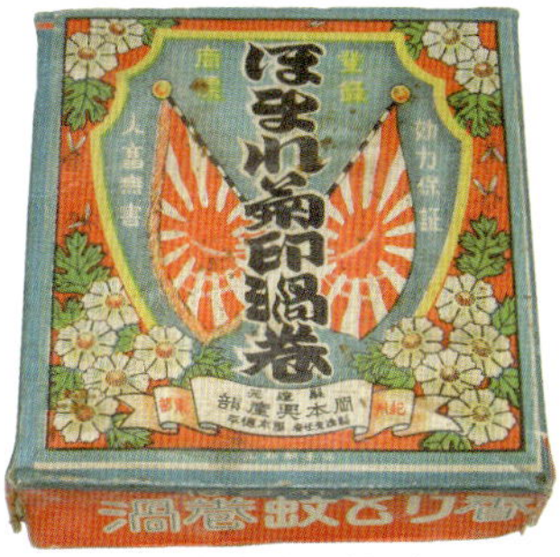

ほまれ菊印渦巻／岡本興産部／114×114×39

金鳥香／大日本除虫菊／221×73×30

大正かとり線香／大正除虫菊／223×77×24

國防蚊とり王／帝國除虫／222×75×23

乃木かとり線香／222×75×29

菊虎印蚊とり線香／楠本除虫菊商会／110×111×42

林檎印渦巻蚊取線香／森繁栄堂／120×119×43

金鳶渦巻滅蚊線香／紀陽除虫菊商会／114×113×43

OSTRICH蚊取線香／115×115×45

桃太郎渦灰／桃屋商店／92×92×37

安住かとり線香／安住大薬房／112×112×41

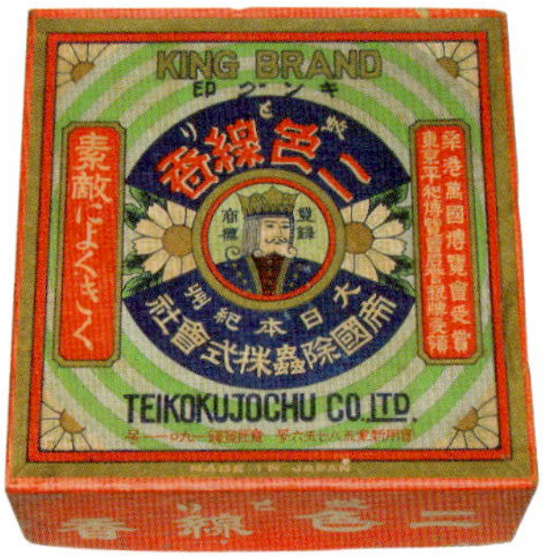

二色線香／帝國除虫／114×113×44

月冨士渦巻／山彦除虫菊／110×110×36

花王蚊取線香／花王石鹸㈱ 長瀬商会／114×114×40

YOKEL蚊取線香／安住大薬房／98×98×33

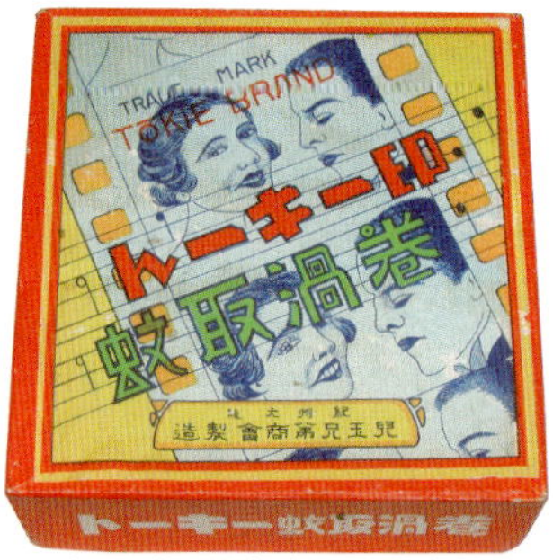

トーキー印蚊取渦巻／兒玉兄弟商会／112×112×42

キクニッポン／菊日本工業／115×115×40

蚊とり線香の中袋／東亜除虫菊／108×108

野球蚊取線香の中袋／オリエンタル除虫菊／108×108

片脳油のラベル／小林脳行／133×91

天狗印かとり線香の中袋／小野玉華堂／108×106

渦巻かとり線香のラベル／金英除虫菊／104×105

エンマ印巻線香の中袋／乾卯商店／109×108

月虎かとりせんこうの中袋／内外除虫菊／122×112

猫イラズの引札（大正9年）／成毛英之助商店／264×383

ハイトリ紙のポスター／三共社／699×226

藤澤商店（現、アステラス製薬）は、明治27年（1894）大阪道修町に薬種問屋として創業された。創業者の藤澤友吉は、青年時代に道修町の薬種商、田邊屋田畑利兵衛商店で修行を積んでおり、満を持しての独立であった。友吉は創業の翌年に衣料の虫除けとして需要が見込まれる樟脳に目をつけ、その精製に着手、明治30年には「藤澤樟脳」として発売を始めた。商標として採用されたのは、魔よけ、厄除けの神とされる「鍾馗」である。パッケージデザインに加え、看板、新聞等の広告でも前面に出され、その強烈なイメージは、全国的に知名度を上げるのに成功させた。鍾馗のアイディアは友吉が天満橋近くの道具屋で見つけた絵画から思いついたものという。原画は狩野派の外口美信が描いている。

藤澤樟脳のラベル／藤澤商店／186×154

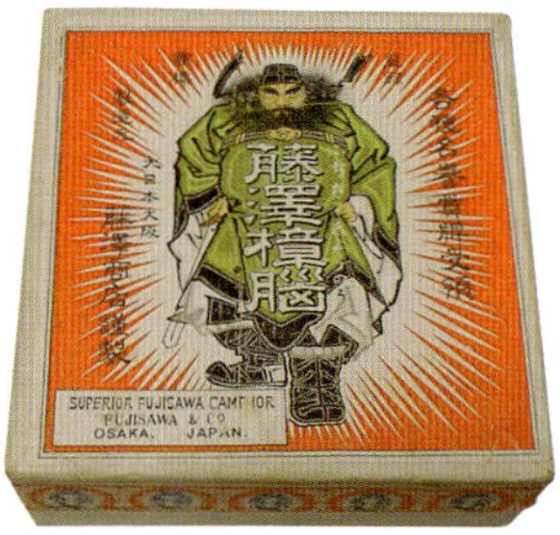

藤澤樟脳／藤澤商店／107×107×40

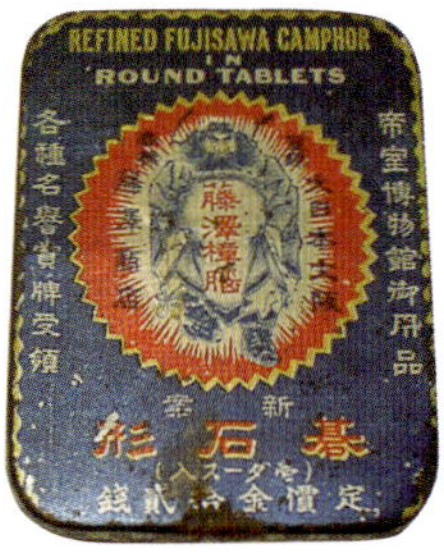

藤澤樟脳／藤澤商店／70×55×9

ハート式蝿取粉／鳥居商会／94×94×25

金雞臭蟲薬／Φ84×H20

ホドヂン錠／金星商会／Φ68×H75

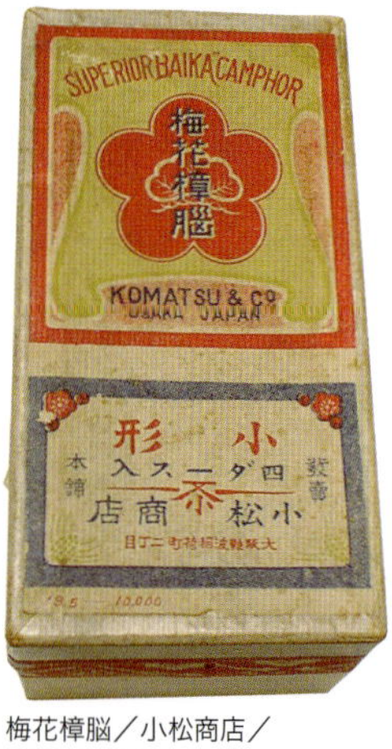

梅花樟脳／小松商店／121×65×63

藤澤樟脳／藤澤商店／120×63×49

ホドヂン／金星商会／155×73×27

除蟲粉／大正除虫菊／Φ92×H173

第4章
食品・嗜好品

- 飲　料
- 煙　草
- お菓子
- 食料品
- 調味料

Drinks

飲料

日本に稲作が伝わったのは縄文時代後期であるが、その頃から弥生時代にかけて、米を使った酒づくりが始まったとされる。当時の製造法は、少女がお米を噛み、唾液とともに壷に吐きためる「口かみ法」と呼ばれるもので、糖化した澱粉が自然にアルコール発酵するのを待つ方法であった。奈良時代になると、「麹」による酒造りが大陸より伝わり、平安にかけて酒造技術は発達するが神事での利用が主であった。鎌倉時代になると、いよいよ商業目的でお酒がつくられるようになり、京都を中心に発達した。その後の江戸時代では、京都に代わり池田や伊丹の酒が台頭した。「下り酒」として上方から江戸にも運ばれ、中央での需要に大いに応えた。その頃には、それまで年数回行われた仕込みが、冬季の「寒造り」に集約され、出稼ぎを迎えた集中的な酒造り、即ち杜氏制度が確立された。江戸後期には、灘の生一本が良質の水と米を武器に人気を獲得し、市場を制覇した。この時代の著名な銘柄として伊丹の「剣菱」、「男山」、「七ツ梅」、灘の「正宗」等があり、現在も継承されているものが多い。

明治になると政府は財源確保のため酒税を重要視し、徴収を徹底するため、どぶろく等の自家醸造を禁止した。一方、酒造の科学的な分析も進み、それまで杜氏の経験と勘に頼っていた製法の改善も進んだ。また、木樽や徳利による流通に加え、ビンによる流通も始まり、お酒はより身近なものとなった。但し最初のビンは白陶製でコルク栓を用いるものであり、ガラスが使われるようになったのは明治後期からである。一方、葡萄酒やビール等の洋酒も明治以降日本で製造されるようになり、徐々に日本のアルコール文化に浸透していった。

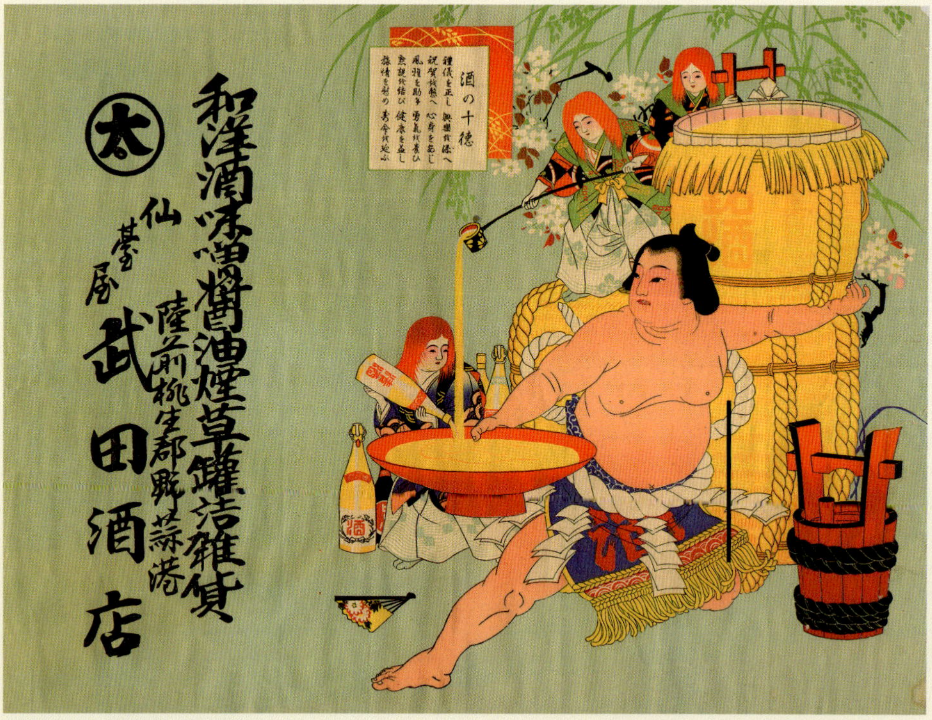

酒類の引札／武田酒店／374×500

松竹梅／井上信次郎／H425

日本柳（陶製瓶）／河合酒造場／H370

正宗／H255

摂陽今津別品銘酒のラベル／90×104

松竹梅正宗のラベル／75×75

澤亀のラベル／宅合名会／104×82

枝菊正宗のラベル／嘉納治郎右衛門／125×103

正宗のラベル／山邑太左衛門／84×102

関東大関のラベル／相原森蔵／159×215

「正宗」の銘は、桜正宗株式会社の六代目当主山邑太左衛門が天保11年（1840）に考え出したものである。当時、仏教に帰依していた太左衛門は京都のお寺で見つけた経典「臨済正宗」からとった「正宗」を、清酒の語音に合わせてせいしゅうと読ませようとして採用した。ところが名刀を連想させるこの名前は「まさむね」として伝わりたちまち人気を博したのである。同業者もこの銘を使うものが続出し、江戸後期には日本酒の代名詞のように使われていたという。そのため、明治17年（1884）の商標条例施行時においても、慣用標章扱いとなり、単独商標としての登録は認められなかった。その決定を受け、それまで正宗を使っていた醸造各社は、頭に他の文字を冠して「桜正宗」、「菊正宗」、「キンシ正宗」等の商標を登録する事を余儀なくされた。

戦国時代に日本に初めて伝わった葡萄酒も一般に飲まれるようになったのは、輸入が解禁された幕末以降である。それを受けて、国産の葡萄酒づくりが、政府の殖産興業政策の一環としてブドウの本場である山梨で始まった。明治4年(1871)に山梨県令(知事)として就任した藤村紫朗が、葡萄酒生産の立ち上げに奮闘し、日本で最初の「大日本山梨葡萄酒会社」の設立(明治10年)にも関わった。しかし、日本人の嗜好に合わないためか、市場に容易には受け入れられず、明治19年(1886)に同社は解散を余儀なくされた。
一方、輸入葡萄酒を日本人の好みに合うように手を加えて販売しようとする動きもあり、その先駆者が日本ワインの父、神谷傳兵衛である。神谷は、明治14年(1881)に甘味料やアルコールを添加した甘味葡萄酒を国内で初めて売り出した。甘さのシンボルである蜂と、父親の稚号である香竄(コウザン)にちなんで「蜂印香竄葡萄酒」と名付けられたそれは、非常に人気を博した。香竄の商号を盗用した類似品も多く出回る程であったという。更に神谷は、明治31年(1898)に茨城県牛久にブドウ園を創設し、葡萄酒の国産化にも積極的に取り組んでいった。
それに対抗するように、明治40年(1907)に「赤玉ポートワイン」を売り出したのが大阪の鳥井信治郎である。彼は、甘味料の配合方法等、風味の探究を重ねた結果を、商品につぎこみ、商標にも日本人に馴染みの深い日の丸を用いた。赤玉で成功した鳥井は、大正10年(1921)に壽屋(現サントリー)を創立、ウイスキーも発売し、後には日本洋酒界の王座を獲得した。

赤玉ポートワインのラベル／壽屋／107×107

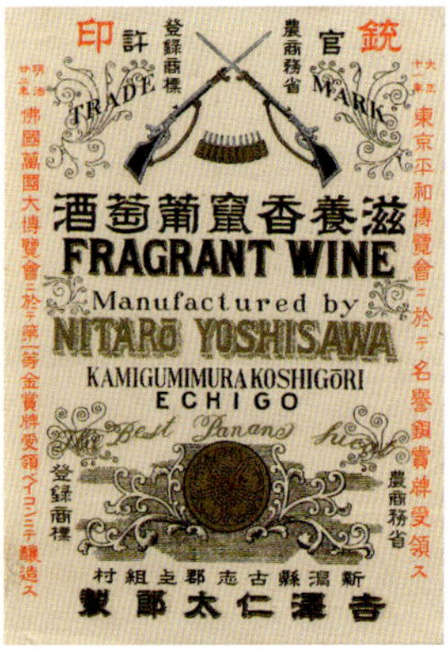

銃印香竄葡萄酒のラベル／
吉澤仁太郎／120×85

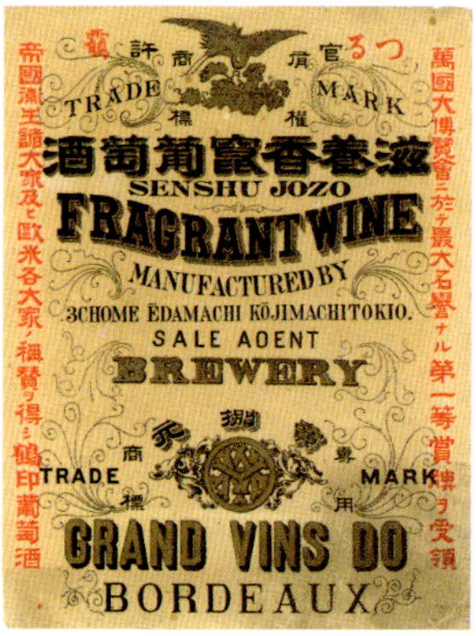

つる印滋養香竄葡萄酒のラベル／
139×106

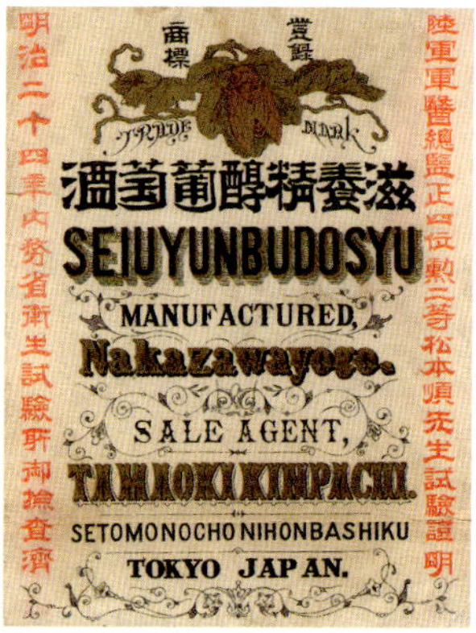

滋養精酵葡萄酒のラベル／129×100

蜂印香竄葡萄酒のチラシ／神谷傳兵衛／180×257

蜂ブドー酒のラベル／神谷／126×99

蜂印香竄葡萄酒／
神谷傳兵衛／H295

ヱビ葡萄酒／
宮崎光太郎／H177

泊英蘭印サフラン葡萄酒／
甲州土屋／H285

帝國保命葡萄酒／
S.MAKINO ／H305

赤玉ポートワインのラベル／壽屋／91×113

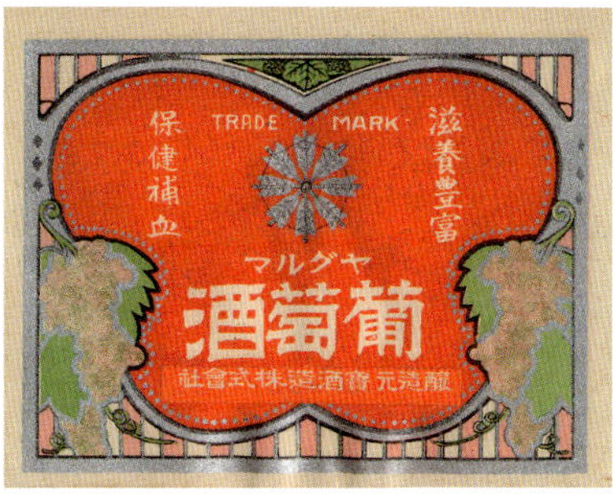

ヤグルマ葡萄酒のラベル／寶酒造／76×100

VERMOUTHのラベル／シバタニ／145×116

桐印滋養強壮葡萄酒の紙看板／國分商店／252×315

ビールは幕末に日本に伝わった飲み物である。日本での工場は、アメリカ人ウイリアム・コープランドにより、明治３年（1870）に横浜山手の天沼において設立されたものが早い。そこで醸造された「天沼ビール」は、主に居留地の外国人向けに販売され、上海等にも輸出されていた。その翌々年の明治５年（1872）には、日本人で初めてビールの製造・販売を、大阪の渋谷庄三郎が始めた。しかし、なじみの薄い商品だけに日本人への販売はあまり芳しくなかったという。ビールの将来性に着目し、行政機関が主体となり、ビールの国産化の研究も各地で行われた。京都では、明治10年（1877）に設立された「京都舎密局麦酒醸造所」の研究により「扇ビール」や「日の丸ビール」が陶製瓶に詰められ売り出された。しかし長続きはしなかったようである。札幌では、同様の官営醸造所として明治９年（1876）に「開拓使麦酒醸造所」が設立された。ドイツでビール作りの修行をした中川清兵衛が中心となって商品化を進め、翌年には「札幌ビール」を発売した。同醸造所は明治19年（1886）に大倉組に払い下げられた後、翌々年に「札幌麦酒会社」として生まれ変わった。一方、東京地区では金沢三右衛門によるイギリス風の「櫻田麦酒」が明治12年（1879）に発売された。金沢の積極的な経営により関東を中心として業績を伸ばし、明治10年代後半には国内最大手のビール会社となった。

現在までブランドを残している主要メーカーの設立は明治20年前後に集中する。前述の札幌ビールに加えて、明治18年（1885）に「キリンビール」のジャパンブルワリーカンパニー（後に麒麟麦酒㈱）が、明治20年（1887）に「恵比壽ビール」の日本麦酒醸造所が、そして明治22年（1889）に「アサヒビール」の大阪麦酒会社がそれぞれ設立された。明治20年代後半にはビールもすっかり人気商品となり、主力４社を中心に販売競争が展開される一方、地方でも中小のビール会社が乱立し、数多くの種類が販売された。その頃100前後の醸造所が全国各地にあったといわれる。しかし、明治34年（1901）に麦酒税が導入された事により、資金力のない工場は衰退していった。

そのような状況のもと、明治39年（1906）に、日本麦酒の馬越恭平が中心となり、主力４社の内、麒麟を除く３社（札幌、日本、大阪）の合併を敢行し「大日本麦酒株式会社」を誕生させた。合併後も地域ごとに従来のブランド名（サッポロ、ヱビス、アサヒ）での販売を続けたが、トータルの生産シェアは実に７割を占める大勢力となった。更に昭和に入ってからは、中堅メーカーである「カブトビール」の日本麦酒鉱泉㈱、「サクラビール」の櫻麦酒㈱をも統合したが、第二次世界大戦後の昭和24年（1949）に過度経済力集中排除法により、２つの会社、日本麦酒と朝日麦酒（現在のサッポロビールとアサヒビール）に分割された後、今日に至っている。

ラベルのデザインは、当初、輸入ビールの模倣から始まったが、商品のイメージを決定づける重要なファクターとあって、やがて画家が登用されるようになり、各社、独自の図案が考案された。

櫻田麦酒のラベル／醗酵社／86×68

恵比壽ビールのラベル／日本麦酒／92×71

日の丸麦酒／日攜社／H285

アサヒビールの広告／大阪麦酒／220×143

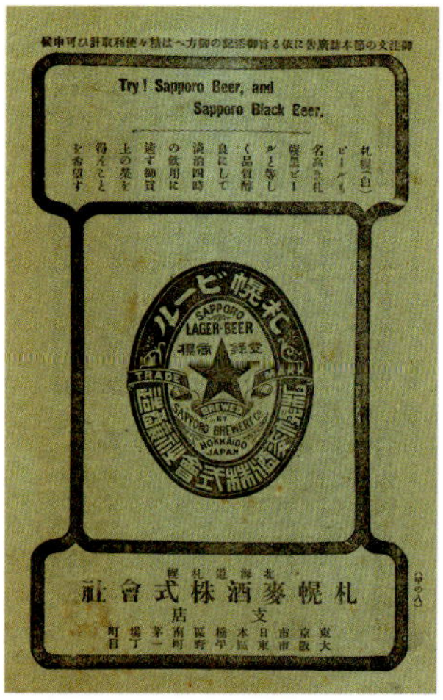

札幌ビールの広告／札幌麦酒／221×143

「キリンビール」は、明治３年に開設されたビール工場スプリングバレーブルワリー（横浜・天沼）の流れをくむ「ジャパンブルワリーカンパニー」より、明治 21 年（1888）に発売された。同社は、英国法人であったが、英国風ビールよりドイツ風のものが日本人の嗜好に合うと判断、わざわざドイツより醸造技師を招き、本場のビール造りを再現した。販売については、磯野計が経営する商社「明治屋」と一手販売契約を結び、国内向け販売の大部分を明治屋に任せた。トレードマークの麒麟図案は、発売１年後に改定されたものが現在までほとんど変わらない姿で使用されている。デザインは当時の日本画の大家、六角紫水によるものという説が有力である。キリンビールは多彩な宣伝広告と品質の良さにより順調に販売量を伸ばし、一定のシェアを確保、主要４社の一角を占めた。明治 39 年（1906）には大日本麦酒株式会社より合併の話が持ちかけられたが、キリンブランド維持のため拒絶、対抗するように翌 40 年（1907）には日本資本による「麒麟麦酒株式会社」として生まれ変わった。麒麟の図案には、キ、リ、ンの隠し文字がある事が良く知られているが、開始時期や目的は定かではない。デザイナーの遊び心や偽造防止という説があり、昭和初期のラベルから隠し文字が入れられ始めたようである。

キリンビールのラベル／ジャパンブルワリーカンパニー／87×122／明治時代

キリンビールのラベル／麒麟麦酒／90×118／明治後期～大正時代のもので、隠し文字無し

アサヒビールのラベル／大阪麦酒／104×85

ニシキビールのラベル／大阪麦酒／103×83

キリンビールのラベル／麒麟麦酒／94×119／昭和初期のもので、隠し文字入り

ヱビスビールのラベル／シバタニ／88×68

大黒ビールのラベル／大日本東京大黒社／105×85

横浜麦酒のラベル／86×121

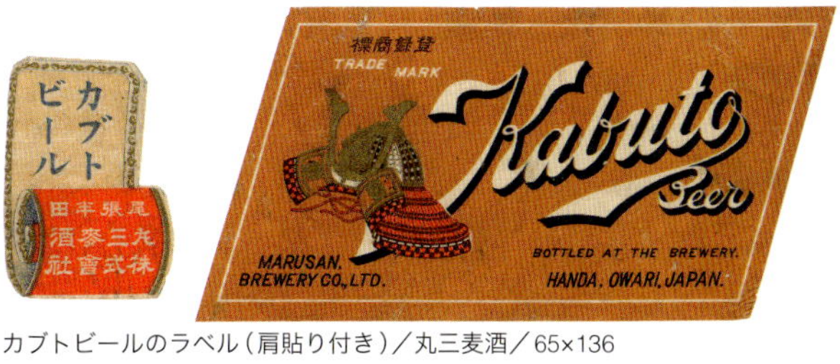

カブトビールのラベル（肩貼り付き）／丸三麦酒／65×136

札幌黒ビールのラベル／大日本麦酒／
95×101

サクラビールのラベル／櫻麦酒／
105×90

カスケードビールのラベル／壽屋／
112×94

アサヒラガービールのラベル／大日本麦酒／
75×110

サッポロビールのラベル／大日本麦酒／
103×85

ヱビスビールのラベル／大日本麦酒／
103×85

アサヒ生ビールのラベル／大日本麦酒／76×110

ユニオンビールのラベル／日本麦酒鉱泉／
77×108

ユニオンビールのラベル／日本麦酒鉱泉／
117×90

テーブルビールのラベル／
礒貝麦酒製造所／97×72

カブトビールの紙看板／丸三麦酒／518×380

ヱビスビールのポスター／日本麦酒／387×272

明治・大正時代、ビール瓶は木箱に詰められた。輸送用には、2ダース（又は4ダース）が入る丸箱と呼ばれるものが用いられ、馬車や鉄道貨物車に載せられた。6面全部を丸ごとの箱として組み立ててあったので全箱（まるばこ）と呼ばれていたのが丸箱に転じたようである。また贈答用には、1ダース又は半ダースが入る少し小振りの木箱も用意されていた。この箱は、贈り物ということもあり、蓋と側面に銘柄と商標の焼印がきれいに施されている。箱の中では、瓶の保護のために、わらを編んだ藁苞（わらづと）が、ビール瓶、一本一本に丁寧にかぶされていた。

キリンビールの贈答用木箱／明治屋／400×280×158

恵比壽ビール／大日本麦酒／H290

カブトビール／加富登麦酒／H245

カブトビール／大日本麦酒／H290

アサヒビール贈答用木箱／大日本麦酒／400×282×154

ビールの販促物は多彩である。中でも、美人画ポスターは有名で、明治後期より盛んに制作されている。精巧なポスターは、有名画家の手による作品も多くあり、酒屋や社交スペースでの観賞用として人気が高かった。ポスターの出来栄えがビールの販売量にも影響するとあって、絢爛豪華で世間受けするものが争って作られた。
一方、日常的な小物のノベルティも多い。ブランドマークが印刷された、グラスやジョッキ、ブリキ製のトレイや灰皿等が景品として広く配られた。いずれにもラベルデザインが大きく印刷されており、大衆へのブランドのPRに大きく貢献した。

キリンビールのトレイ／148×215

恵比壽ビールのトレイ／日本麦酒／161×235×9

布引鉱泉のトレイ／151×216

大日本麦酒のトレイ／Φ322

大日本麦酒のトレイ／Φ324

大日本麦酒のトレイ／Φ322

サクラビールの絵葉書／帝國麦酒／
139×90

サクラビールの絵葉書／帝國麦酒／
139×90

サクラビールの絵葉書／帝國麦酒／
142×90

恵比壽ビールのグラス／
H97

キリンビールのグラス／
H95

アサヒビールのグラス／
H98

キリンビールのグラス／
H100

アサヒビールのグラス／
H148

ユニオンビールのグラス／
H146

ユニオンビールのグラス／
H140

カブトビールのジョッキ／
H138

キリンビールの絵葉書／142×91

アサヒビールの絵葉書／142×91

エビスビールの絵葉書／140×90

日本への炭酸飲料の伝来は、幕末の黒船来航時に、ペリーが船内で浦賀の奉行にラムネを振舞ったのが最初とされる。国内で最初に製造を始めたのは長崎の商人、藤頼半兵衛で、イギリス人に製法を教わり、レモン水（レモネード）と名付けて売り出した。ラムネという名称はそのレモネードが訛ったものである。その後ラムネは東京、横浜、大阪、神戸等で作られるようになるが、明治 19 年（1886）には、炭酸がその年大流行したコレラの予防となるとの流言により、品切れが続出したと言われる。現在にも伝わる玉入り瓶が導入されるのは明治 20 年を過ぎた頃である。

一方サイダーは横浜居留地のノースレー商会が外国人向けに製造していた清涼飲料の一つであるシャンペンサイダーを日本人向けに売り出したのが最初である。その原料には、サイダーの語源であるりんご酒の風味と、パイナップルのエッセンスを調合したものが使用されていた。明治 32 年（1899）には、そのエッセンスを元にした炭酸水を、横浜の秋元巳之助が金線サイダーとして発売した。これが日本人による最初のサイダー製造である。明治 37 年には王冠栓のものが発売され、以来、王冠栓のものをサイダー、玉入り瓶のものをラムネと区別するようになった。（サイダーは元々はシャンペンサイダーが正式名称であったが、いつの間にかシャンペンは省かれるようになった）

更に、明治 42 年には大日本麦酒がレモン風味の炭酸水をシトロンと名付けて販売開始した。味が優れていて評判が良かったため、同名の商品が各地で出回るようになり、シトロンという名称も、ラムネ、サイダーに続き市民権を得た。

三ツ矢サイダーは、兵庫県多田村平野にある鉱泉から湧き出ていた炭酸水を明治 17 年（1884）に「三ツ矢平野水」として売り出したことに始まる。明治後期にはその炭酸水にイギリス製香料を加えた新商品「三ツ矢シャンペンサイダー」が、帝國鉱泉株式会社（明治 40 年設立）より発売され大好評となった。以来、三ツ矢サイダーは現在まで続くロングセラー商品として広く愛飲されている。

姫印箱根サイダーのポスター／箱根商会／408×193

ホマレシャンペンサイダー／山口／78×103

エスサイダーのラベル／小川商店／68×83

三ツ矢シャンペンサイダーのラベル／帝國鉱泉／81×101

キリンサイダーのラベル／麒麟麦酒／82×108

キリンレモンのラベル／麒麟麦酒／82×108

シトロンのラベル／大日本麦酒／69×111

リボンシトロンのラベル／大日本麦酒／70×103

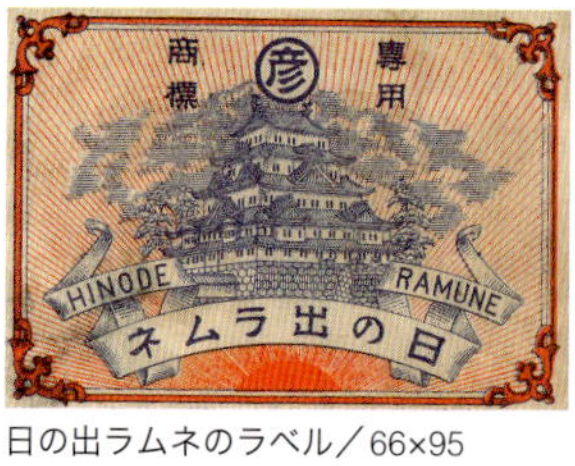

日の出ラムネのラベル／66×95

「カルピス」ポスター展の絵葉書／
142×91

「カルピス」はラクトー株式会社（現カルピス株式会社）より大正８年（1919）に発売され、現在もなお飲み続けられているロングセラー商品である。創業者の三島海雲は、青年時代に中国に渡り、貿易商を営んでいたが、内モンゴルを訪ねた時、遊牧民より彼らが愛飲している「酸乳」を振舞われた。それにより自分自身の活力を取り戻し、酸乳が彼らのたくましい生活力の源であると確信した。大正４年（1915）に36歳で、一文無しに近い状態で帰国した海雲は、おいしくて国民健康向上に役立つものを作ろうと考え、内モンゴルの酸乳をヒントとした「カルピス」を商品化した。大正11年（1922）、発売日の７月７日の七夕にちなんで包装紙には天の川をイメージした水玉模様が描かれた。（戦前は青地に白の水玉、戦後は白地に青の水玉）広告戦略に長けた海雲は、その一環として大正12年に、インフレに喘ぐ欧州の芸術家の救済と商業美術の向上を願い、ドイツ、フランス、イタリアの三国から賞金を掛けてポスターを大々的に募集した。この催しは大反響を呼び、1400余りの作品が集まった。「カルピス」の広告にも使用され長年親しまれた黒人キャラクターマークはポスター展で三等をとった作品でドイツの図案家オットー・デュンケルスビューラーの作である。また「初恋の味」という魅力的なキャッチフレーズも「カルピス」のイメージアップに大きく寄与している。これは海雲の後輩で漢文の先生である驪城卓爾（こまきたくじ）氏の発案とされる。

「カルピス」の瓶／
H290

「カルピス」の外箱／250×67×68

「カルピス」の包装紙

お茶ラベル／北尾製茶部／193×142

お茶ラベル／
滝澤又右衛門／171×66

お茶ラベル／長喜園／
176×64

お茶ラベル／小笠原平作／
170×72

Tobacco / Cigarette
煙草

日本での喫煙の歴史は、南蛮貿易でポルトガルより煙草が伝わった事に始まる。その風習は、上流層を中心に拡がり、やがて輸入品だけでは需要が満たされなくなり、慶長年間（1596～1615）には早くも国産葉たばこの耕作が始まった。産地は、国産煙草発祥の地とされる鹿児島をはじめ、徳島、神奈川、岡山、広島、栃木等、全国に及んだ。当時の煙草の形態は、葉を細かく刻んだ「刻み煙草」で、キセルを用いて吸う日本独特のものであった。喫煙率も男女を問わず非常に高かったと言われている。

明治になると、外国より紙巻煙草が輸入されるようになり、都市部を中心に愛煙家の人気を博した。これを受けて日本でも紙巻煙草を製造、販売する人物が現れ、土田安五郎、岩谷松平、千葉松兵衛、渕上利作、村井吉兵衛等が成功を収めた。特に明治17年（1884）頃に「天狗煙草」を発売した東京の岩谷松平（岩谷商店）と、明治24年（1891）に「サンライス」を発売した京都の村井吉兵衛（村井兄弟商会）は東西の二大勢力となり、その広告合戦も熾烈を極めたという。その競争はチラシ、ポスター、看板から、街頭宣伝の派手なパフォーマンス、更には新聞での誹謗広告にまで発展した。両者はパッケージの印刷技術の開発にもしのぎを削り、アメリカの最新鋭技術の導入や、印刷会社の設立にも寄与した。そのお陰で、日本の印刷技術がより緻密で鮮やかな色が再現できるように革新されたと言われる。

明治時代の民営煙草業者の数は五千とも伝えられ、そのパッケージデザインは、多種多様である。刻み煙草に関しては産地の特長や日本的な文様を用いたもの、紙巻煙草に関しては輸入品を模したものや、それらを日本風にアレンジしたものが多い。岩谷、村井を筆頭とした全国の民間の煙草商が様々な銘柄を販売し、市場は賑わっていた。しかし、日露戦争の戦費をたばこ消費税から調達する事を目的に、明治37年（1904）に専売法が施行され、煙草の販売は専売局扱いとなった。それにより民営煙草は終焉を迎え、官製の新しい銘柄がラインナップされるに到った。

引札／263×375

日本の刻み煙草は、ポルトガルより伝わったtobaccoが江戸時代に日本特有の進化を遂げた伝統的な煙草であり、明治に入って紙巻煙草が登場した後も、長らくは主流であった。明治時代の煙草消費の約八割が刻みタイプであったと言われている。当初は、バラ売りや量り売りであったが、明治21年（1888）の煙草税則第二次改定により、印紙の貼付を徹底するために完全包装が義務化され、箱詰め式又は紙包み式の形態で定量販売されるようになった。包装のラベルデザインは、全国の葉たばこ産地の特長を表したものや日本的な絵模様を配したものが多い。良く使われてるモチーフとしては、葉たばこの絵、鶴、亀、龍、桜、松等がある。

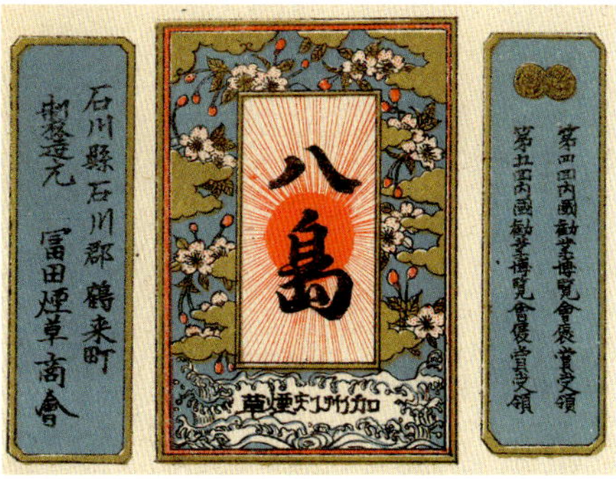

八島のラベル／冨田煙草商会／98×136

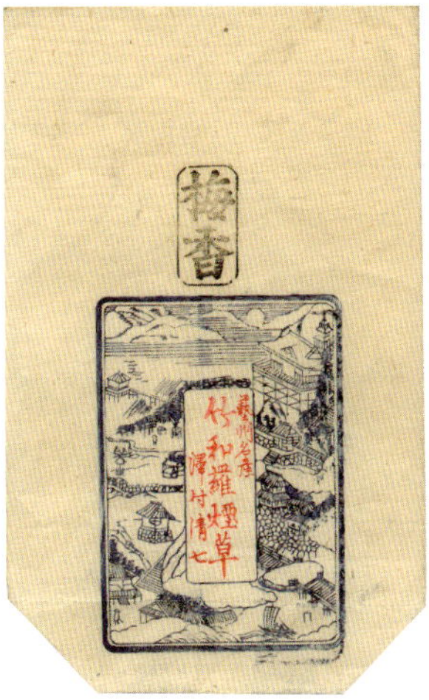

竹和羅煙草の紙袋／澤村清七／252×155

原田煙草のラベル／188×80

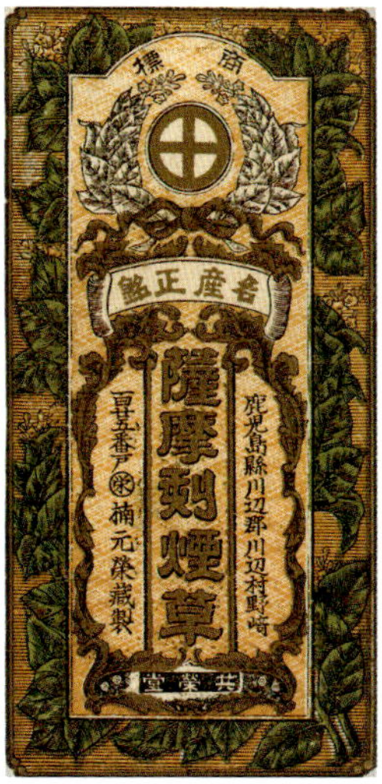

薩摩刻煙草のラベル／楠本榮蔵／169×84

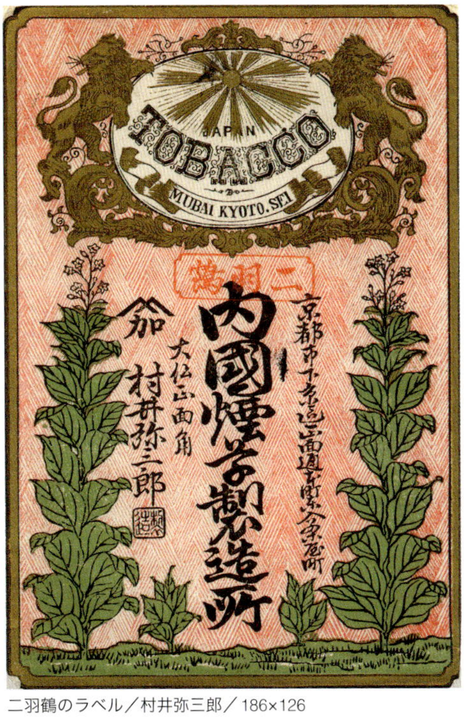

二羽鶴のラベル／村井弥三郎／186×126

國分煙草のラベル／遠﨑浅吉／178×93

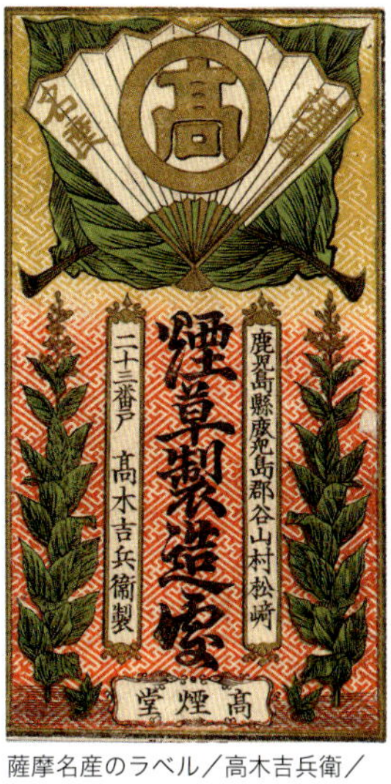

薩摩名産のラベル／高木吉兵衛／160×86

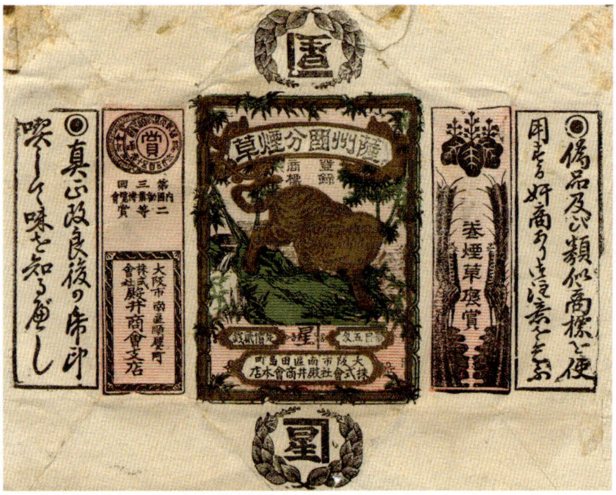

薩州國分煙草のラベル／殿井商会／135×185

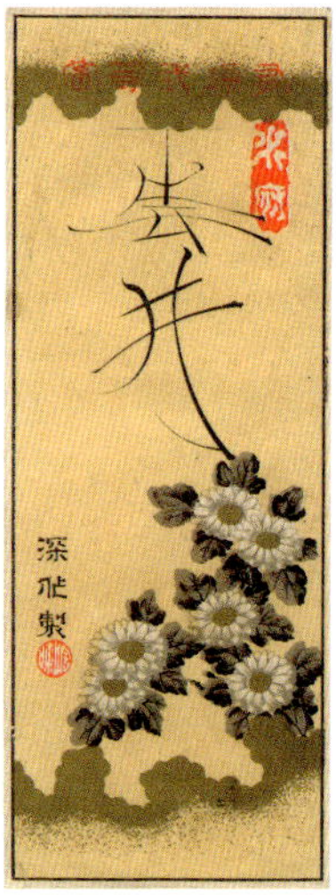

雲井のラベル／164×61

雲井のラベル／藤田元貞／164×63

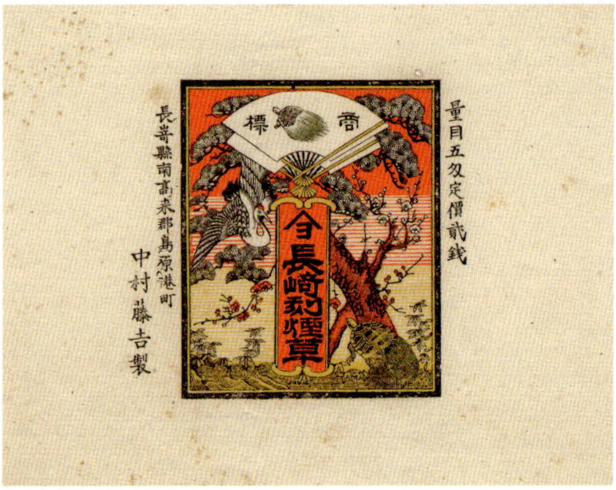

長崎刻煙草のラベル／中村藤吉／143×190

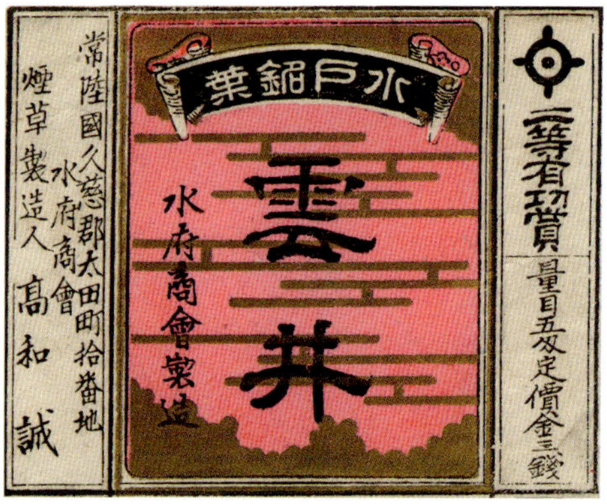

雲井のラベル／水府商会／76×93

亀印のラベル／倉田弥平／147×94

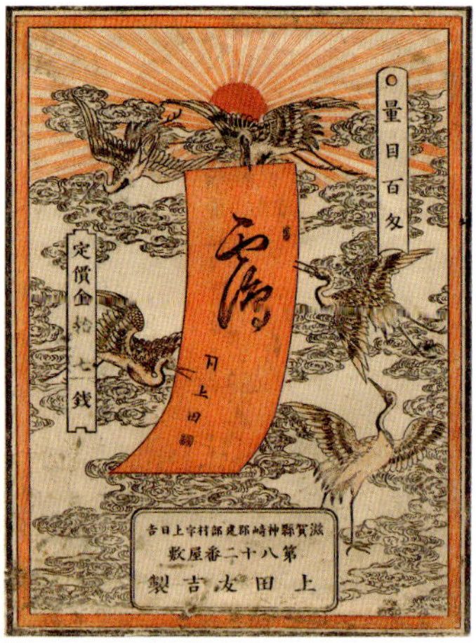

鶴のラベル／上田友吉／172×132

山本金絲煙のラベル／並河喜兵衛／178×140

國分煙草のラベル／田中治兵衛／147×94

赤のラベル／原田万久／147×94

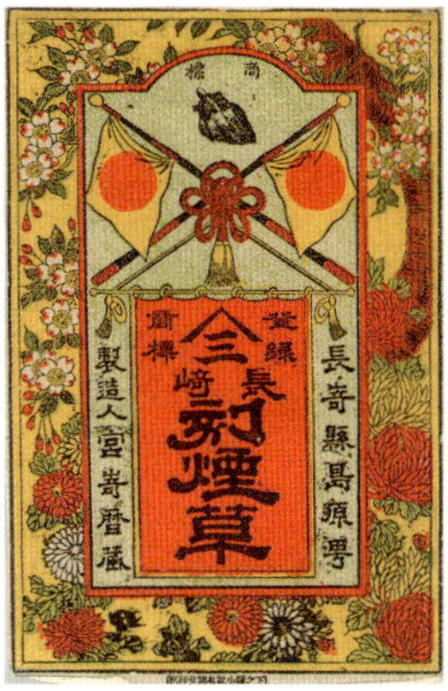

長崎刻煙草のラベル／宮寄暦蔵／147×94

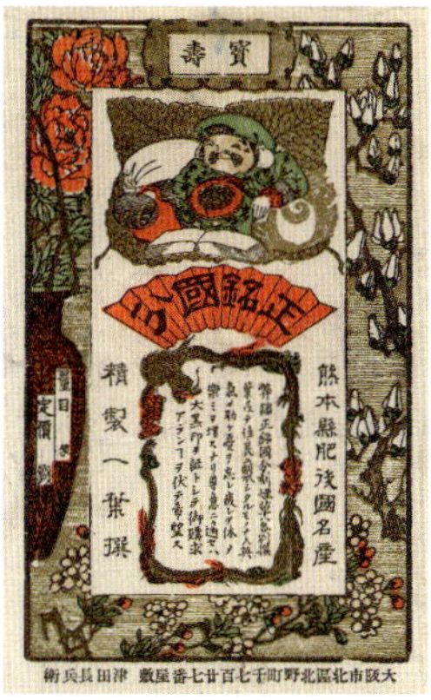

正銘國分のラベル／津田長兵衛／150×99

國分煙草のラベル／田中治兵衛／147×94

いろはのラベル／遠江煙草／132×95

近江産中堅莨のラベル／平尾銀三郎／147×94

中堅煙草のラベル／塚本茂吉／147×94

美葉香のラベル／和田勘五郎／147×94

垂水のパッケージ／川井田商店／172×84×50

四天王のパッケージ／遠江煙草／160×98×49

刻煙草のパッケージ／松尾／155×107×78

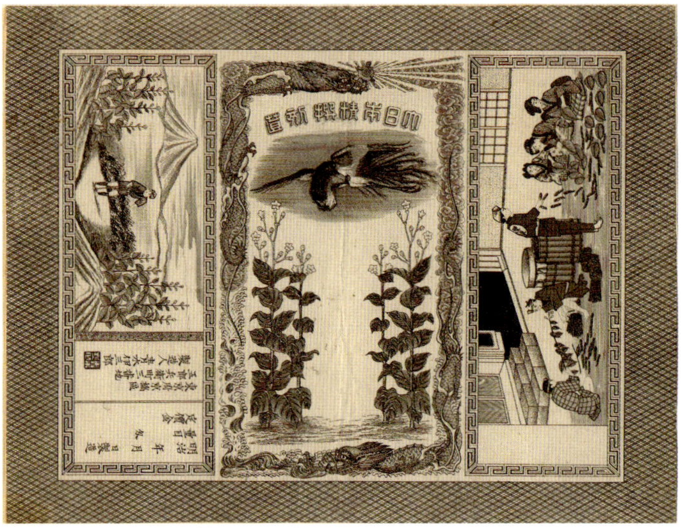

大日本精撰刻莨のラベル／青木伊三郎／182×245

ねこばけのラベル／横井商店／139×90

米の薫のラベル／173×113

やっこのラベル／甲斐榮太郎／178×109

精撰刻煙草のラベル／井伊商店／143×88

日本のラベル／飯塚為一郎／170×102

開国とともに輸入が始まった紙巻煙草は、明治の初めには早くも国産化が試みられた。『民営時代たばこの意匠』（専売事業協会）等によると、明治５年（1872）に土谷安五郎が完成したのが最初とされる。彼はロシアの煙草を参考に独学で研究を重ね、紙筒に粉たばこや刻たばこを挿入する方法を編み出し、日本での紙巻煙草製造法の基礎を築いた。彼の「巻煙草」は第二回内国勧業博覧会（明治 14 年）で有功賞を受け、その賞状が図案となったパッケージラベルも残っている。紙巻煙草事業には、土谷の他、お化けタバコの日米屋（ひめや）、渕上利作、天狗煙草の岩谷商会、牡丹煙草の千葉商会等が参入し、明治 20 年頃には都市部を中心として、活況を呈するようになった。
当時の紙巻煙草には、「口付き」と「両切」の２タイプがあった。「両切」は、現在でも一部の銘柄に残っているように紙筒の両端まで葉が詰まったタイプであり、一方、「口付き」は、吸い口部分に空洞の口紙が付けられたものである。そこを潰して吸うのが口付煙草の吸い方であった。パッケージデザインに関しては、口付きは和洋折衷柄または和風が多い。対し両切は、村井のヒーローやサンライスで代表されるように、品名、パッケージデザイン共、輸入煙草に倣い舶来志向である。

虎印のラベル／殿井伊助／83×87

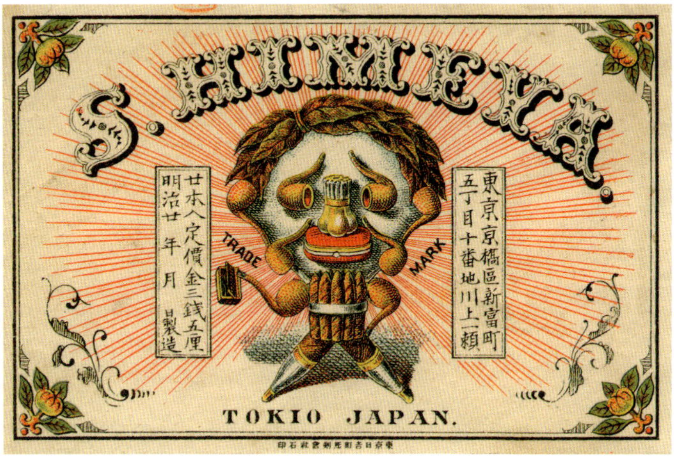

お化けタバコのラベル／日米屋／73×110

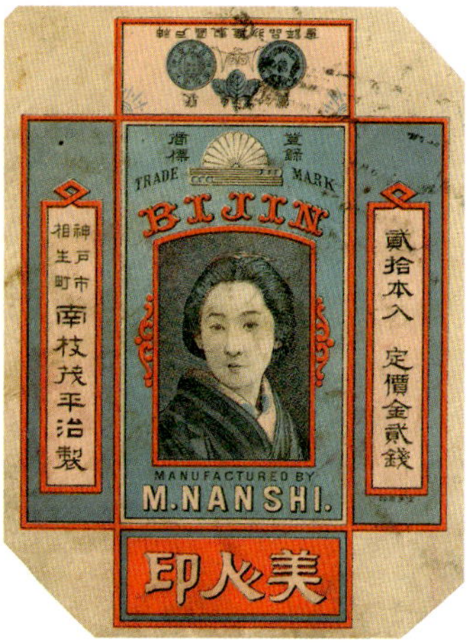

美人印のラベル／南枝茂平治／115×85

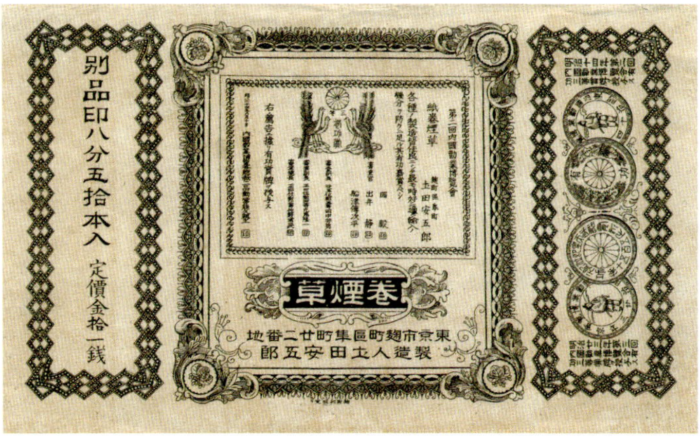

巻煙草のラベル／土田安五郎／99×177

軍扇のラベル／今村貢／98×85

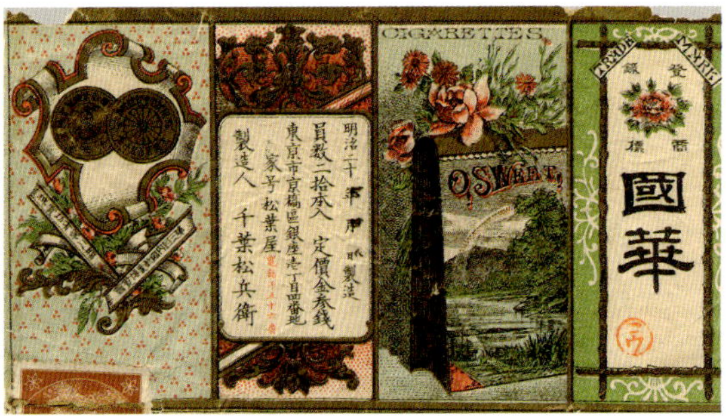

國華のラベル／千葉松兵衛／81×143

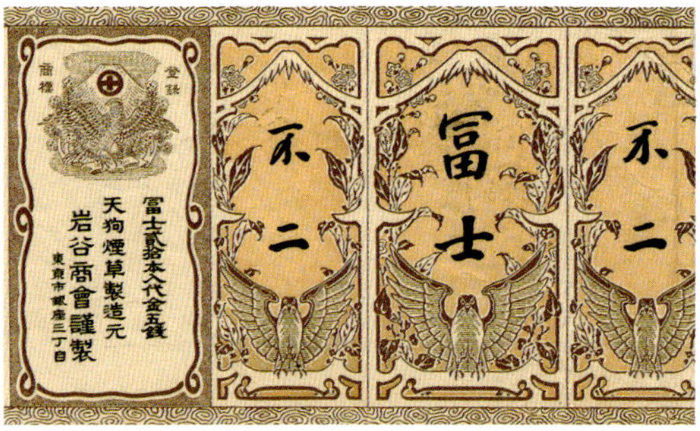

冨士のラベル／岩谷商会／90×157

雙鶴のラベル／千葉松兵衛／85×152

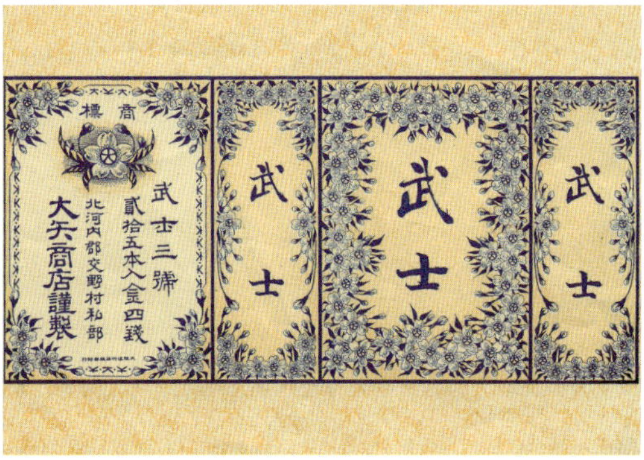

武士のラベル／大矢商店／128×167

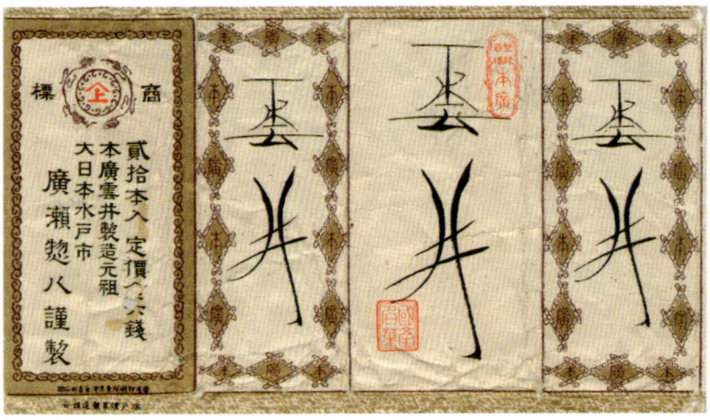

雲井のラベル／廣瀬惣八／89×162

なな草のラベル／東海煙草／132×166

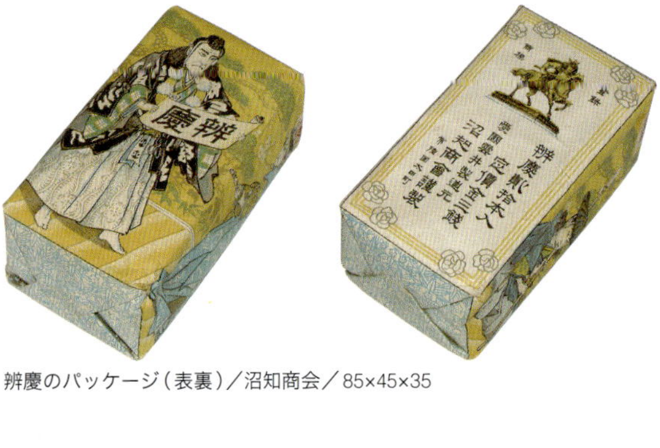

辨慶のパッケージ（表裏）／沼知商会／85×45×35

本廣雲井の缶パッケージ／廣瀬惣八／121×178×44

明治 11 年（1878）より、東京銀座で「薩摩屋」を開き、故郷の鹿児島物産品を扱っていた岩谷松平は、その頃輸入され始めた外国製紙巻煙草の人気に触発され、薩摩国分の葉を使った紙巻煙草の製造を始めた。明治 14 年（1881）には、弟・右衛と長男・鷹蔵をアメリカに派遣し、そこで吸収した先行技術で自社煙草に改善を加えた。その成果として、明治 17 年（1884）頃に発売されたのが「天狗煙草」である。包装を携帯しやすいものにすると共に、商標として神の使いである天狗が採用された。更に、各銘柄の呼称を、品質や太さで分け、金天狗、銀天狗、大天狗、中天狗等、「～天狗」と分かり易く統一する事により、強いブランドイメージを築いた。その後、岩谷はありとあらゆるメディアを利用した宣伝広告にも力を入れ、自らを「国益の親玉」、「安売りの隊長」等とキャッチフレーズで称して人々の心をつかみ、紙巻煙草を大衆に普及させる事に大成功を収めた。

輸入退治天狗パッケージ（表／裏）／岩谷商会／81×81×17

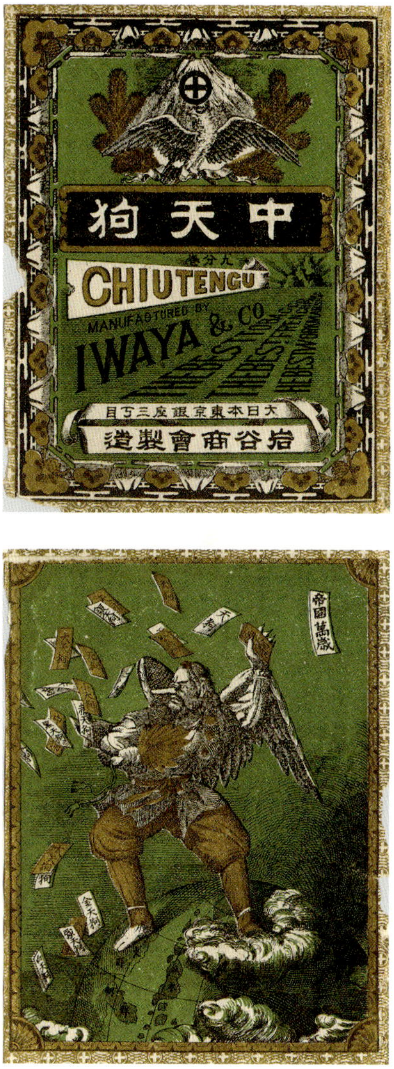

中天狗のラベル（表／裏）／岩谷商会／103×80

鷹天狗のラベル／岩谷商会／204×170

日乃出の大箱／岩谷商会／342×178×74

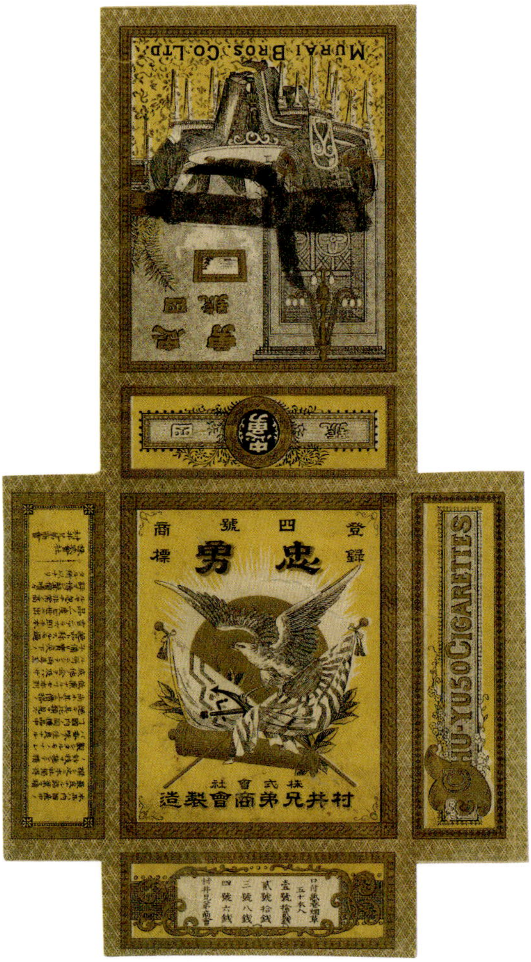

忠勇のラベル／村井兄弟商会／245×139

サンライス刻煙草のパッケージ／村井商会／77×108×53

武蔵野のラベル／村井兄弟商会／102×154

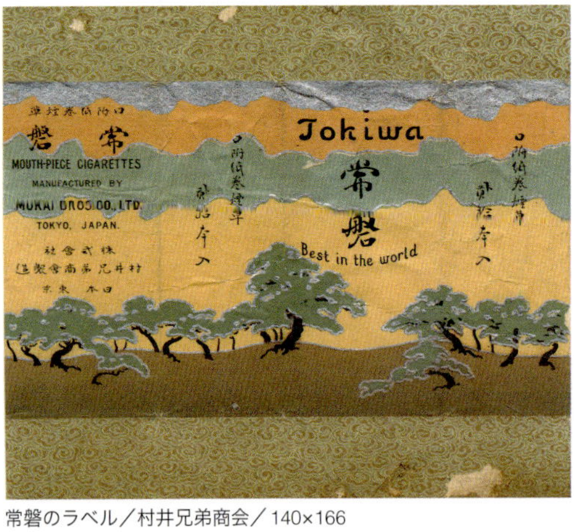

常磐のラベル／村井兄弟商会／140×166

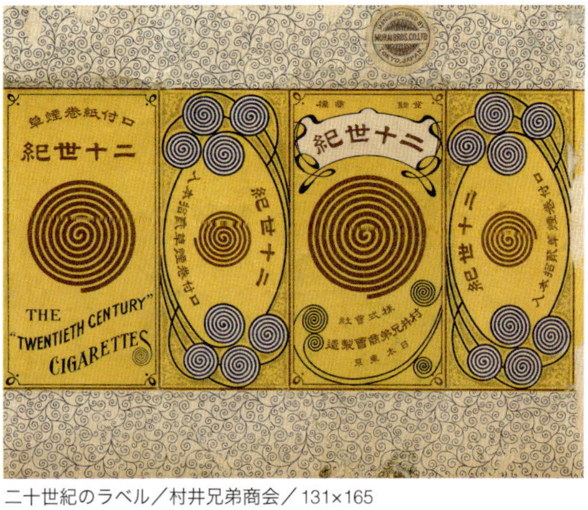

二十世紀のラベル／村井兄弟商会／131×165

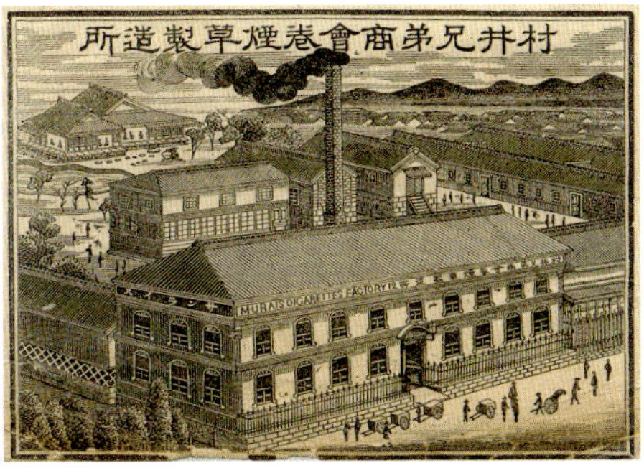

村井兄弟商会巻煙草製造所のラベル／72×102

京都の村井吉兵衛は、岩谷商会の口付煙草の成功に影響を受け、外国製の両切煙草の製造方法を独自に研究し、苦心の末、明治24年（1891）に「サンライス」の商品化を果たした。パッケージに採用した突出し式小箱が使い易いのと、値段が安いため関西を中心に販売が伸びた。続いて、明治27年（1894）にアメリカ産の葉を配合し味を改良した新製品「ヒーロー」を売り出すと前作以上のヒット作となった。それを原動力として村井の躍進がはじまる事になる。兄の村井弥三郎と組み「合名会社村井兄弟商会」を立ち上げたのもその年である。村井は岩谷同様、宣伝広告にも力を入れ、宣伝隊や景品、ポスター、看板、新聞広告等で知名度を高めていった。更に明治32年（1899）にはアメリカン・タバコ社と資本提携を行い株式会社化し、事業の拡大にも成功した。こうして村井は、煙草が専売化されるまでの期間、岩谷とともに業界に君臨し、両切、口付煙草に多くの名品を残したのである。

サンライスのパッケージ（表裏）／村井兄弟商会／68×52×24

サンライスのラベル／村井兄弟商会／77×72

ヒーローのパッケージ／村井兄弟商会／72×46×17

ヒーローのパッケージ／村井兄弟商会／73×49×18

オールドゴールドのパッケージ／村井兄弟商会／73×47×18

ピーコックのパッケージ（展開）／村井兄弟商会／72×135

ハローのパッケージ（展開）／村井兄弟商会／73×125

ゴールドメダルのラベル／林／75×160

スイートキャットのラベル／皆野商会／67×45

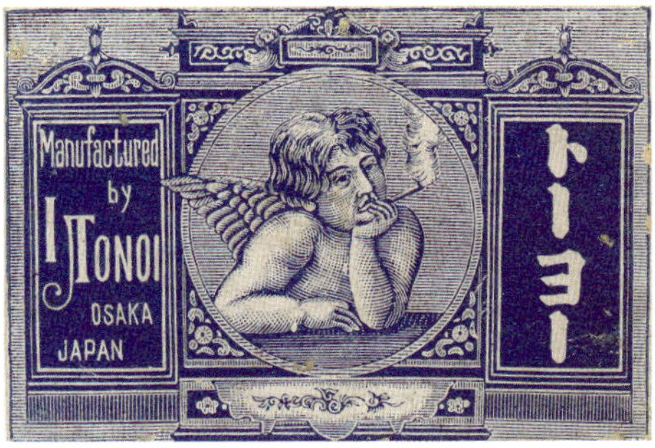

トーヨーのラベル／殿井伊助／46×72

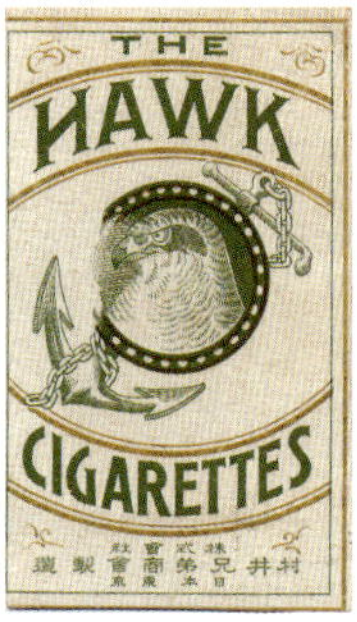

ホークスのラベル／村井兄弟商会／70×41

ダンスのラベル／大阪煙草／68×45

親玉のパッケージ（展開）／高井説三／75×144

ベストグッドのラベル／72×103

カメオのパッケージ／南枝茂平治／92×52×21

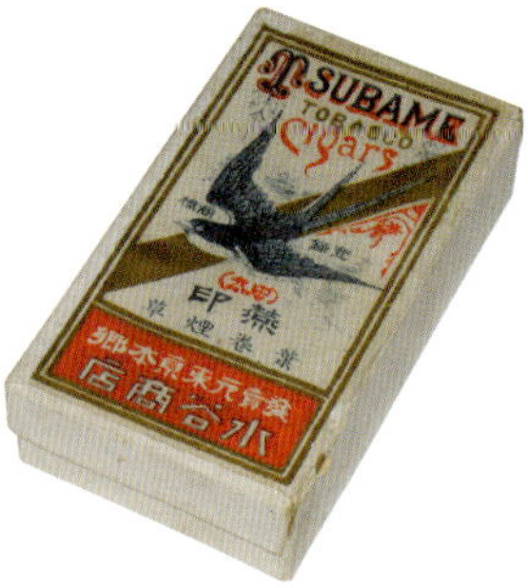

燕葉巻のパッケージ／水谷商店／68×51×24

四季之匂のパッケージ／122×165×45

煙草カード／村井兄弟商会

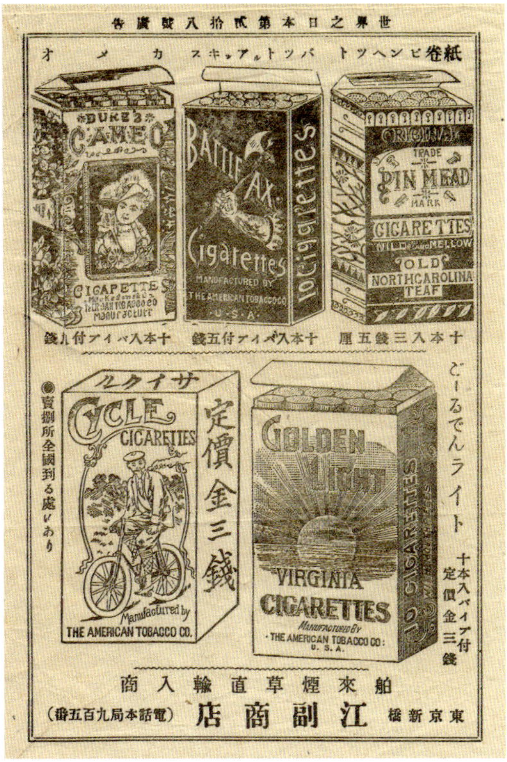

輸入煙草のチラシ／江副商店／222×150

アメリカ製煙草に倣い村井兄弟商会が「サンライス」、「ヒーロー」に景品として美術カードを挿入すると、多種多様の美しい図柄が大評判となり、争って蒐集された。しかし、カードに使った裸体美人の写真が当時の風紀を乱すとされ、当局から告発を受け裁判沙汰となった事もある。

明治20年(1887)頃に、便利な突出し式小箱に入ったアメリカ製煙草「カメオ」、「ピンヘッド」等が日本に輸入されるようになった。両切煙草10本入りのこの小箱は、使い勝手の良さから日本でもたちまち人気が出て、輸入も急増した。

引札(明治41年)／249×370

煙草カード／殿井商会／94×65

日露戦争のための資金調達と、米国たばこ資本の日本への侵略阻止を目的として、政府は明治 37 年（1904）に煙草専売法を施行した。これにより煙草の製造・販売権が民間から大蔵省専売局（明治 37 年 6 月から明治 40 年 9 月までは「煙草専売局」の名称）に移され、それまで膨大に存在した銘柄も官製の数種類に集約された。最初に発売された官営煙草は、口付 4 種「敷島、大和、朝日、山桜」と両切 3 種「スター、リリー、チェリー」の合計 7 種であった。翌 38 年には 6 種の刻み煙草や 5 種類の葉巻が追加され、その後も愛煙家の多様な嗜好に応えるべく、品揃えの充実が図られた。パッケージデザインに関しては、堀規矩太郎、杉浦非水、田中寅吉ら各氏による秀逸なものが多く世に出された。特にエキゾチックな女性の横顔をアール・ヌーボー調にまとめた「アルマ」や日露戦争の終戦記念につくられた「ピース」の色彩溢れるデザインは屈指の出来栄えである。戦後になると、行政の効率化のため、専売事業は専売局から日本専売公社へと受け継がれた（昭和 24 年）。

朝日の包装紙／専売局／131×164

リリーのパッケージ（表・裏）／煙草専売局／73×47×17

スターのパッケージ／煙草専売局／73×47×17

チェリーのパッケージ／煙草専売局／73×47×17

アルマのパッケージ（表・裏）／専売局／74×45×20

ピースのパッケージ／専売局／72×51×18

ナイルのパッケージ／煙草専売局／76×50×21

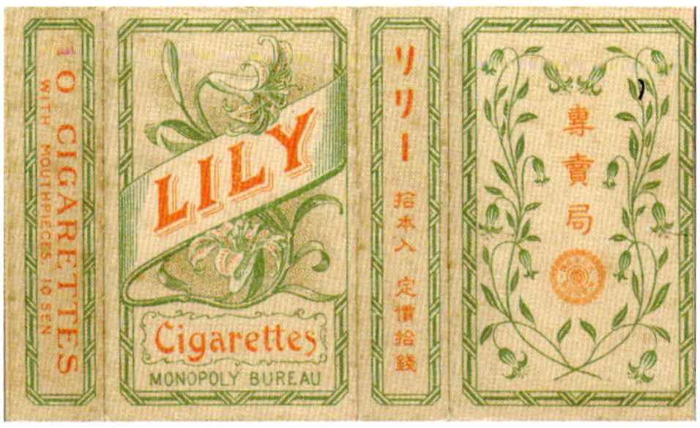

リリーのパッケージ（展開）／専売局／73×126

スターのパッケージ（展開）／専売局／72×126

胡蝶のパッケージ（展開）／専売局／72×135

金鵄の包装紙／専売局／175×60

梅が香のラベル／煙草専売局／168×75

グローリーのパッケージ（展開）／専売局／72×127

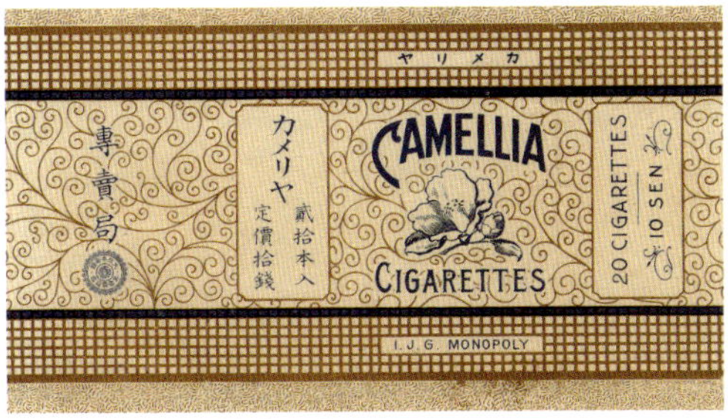

カメリアの包装紙／専売局／87×160

麗（うらら）のパッケージ／専売局／73×89×10

たばこ展覧会（昭和８年）の絵葉書３種／140×90

Confectionery

お菓子

日本のお菓子の歴史は遣唐使らによって大陸から持ち帰られた「唐菓子」より始まる。それは米や小麦、粟等の穀物の粉を練って油で揚げたもので、奈良時代から平安時代にかけて祭事でのお供え物としてよく使われたようである。室町時代になり茶道が発達してくると、お茶うけに用いられる菓子、即ち「点心」が重宝されるようになり、茶道が隆盛する桃山時代にかけて、その製法も一段と進歩した。16世紀には南蛮貿易により、カステラ、金平糖、カルメラ等、砂糖を使った「南蛮菓子」がポルトガルより渡来し、長崎を経由して全国に拡がった。砂糖を用いた甘いお菓子は、はじめて口にする日本人に新鮮な驚きを与え、その後の国内の菓子製法にも大きな影響を及ぼした。続く鎖国令下の江戸時代は、点心の流れを汲む高級志向の「京菓子」と、江戸で生まれた一般向けの「上菓子」が相競いながら発展し、和菓子の礎を築いた時代である。現在に続く和菓子の殆どがその時代に完成されたと言われている。

明治になると、ドロップ、ビスケット、チョコレート、クッキー、キャラメル等の「西洋菓子」が盛んに輸入されるようになり、日本の菓子文化も大いに変化した。国内でも風月堂等の先駆者により、西洋菓子の製造が始まり、国産のビスケットやチョコレートを普及させた。そして、明治32年(1899)には、日本の製菓王、森永太一郎が「森永西洋菓子製造所」を設立し、本格的な洋菓子製造に乗り出した。明治製菓、佐久間製菓、江崎グリコ等、現代に続く大手洋菓子メーカーが設立されたのも、明治後期から大正にかけてのことである。

お菓子は早くから贈答品としても重宝されていたようであり、そのパッケージは桐やボール紙を用いた丈夫な箱が多く、外装には華麗な意匠が施されていた。

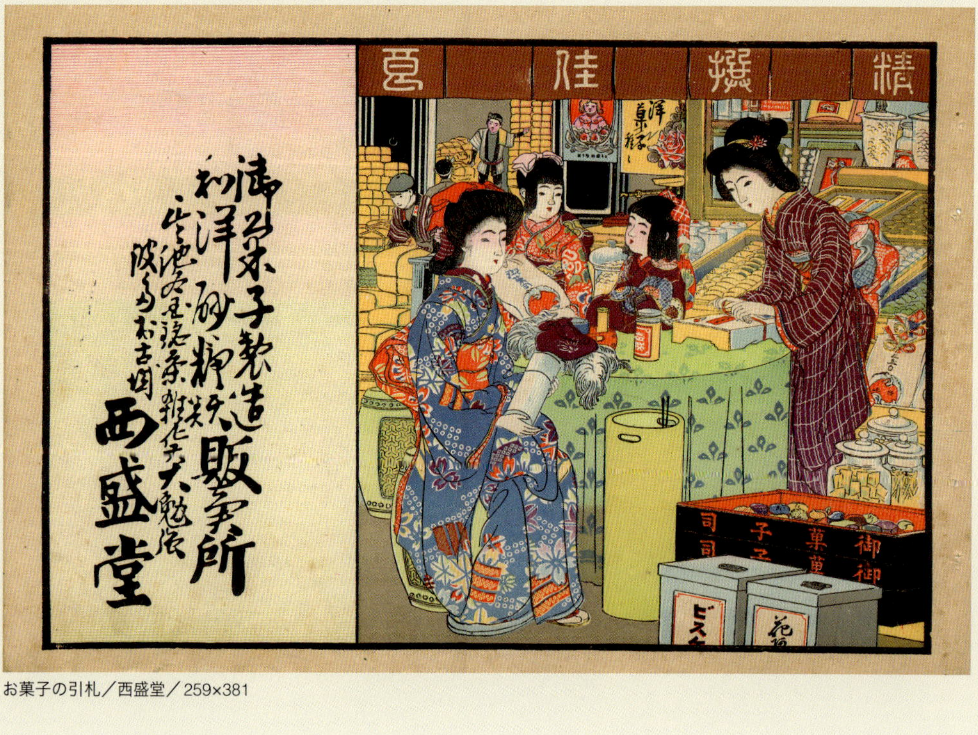

お菓子の引札／西盛堂／259×381

ウヱーファースの進物箱／凮月堂米津松造／270×200×54

凮月堂の歴史は古く、上方から江戸へ出た初代大住喜右衛門が宝暦3年（1753）に創立したもので、当初の屋号は出身地にちなみ「大坂屋」と名付けられた。喜右衛門は、江戸ではまだ少なかった菓子業に目をつけ、諸大名向けのお菓子作りで成功を収めた。特に老中の松平定信には格別に気に入られ、「凮月堂」の屋号も定信から与えられたものとされる。明治時代になるといち早く洋菓子にも着目、積極的に研究開発を行い、ビスケット、チョコレート、ウェハース等を次々と発売していき、洋菓子メーカーとしての名声も高めた。その立役者としては米津松造がよく知られる。信州出身の彼は12才で凮月堂に住込み奉公に入った後、みるみる実力を発揮し番頭まで出世した人物。五代目喜右衛門に命じられ、横浜へ修行に行き、洋菓子作りに精力的に取り組み大活躍を果たした。明治5年（1872）には松造はその実績が認められ、のれん分けをして独立、「米津凮月堂」を設立した。その後は本店と共に協力しながら発展していった。明治の後期には、のれん分けは全国各地に拡がり、凮月堂一門は16店舗を数えたという。

ラベル／凮月堂総本店・大住喜右衛門／94×127

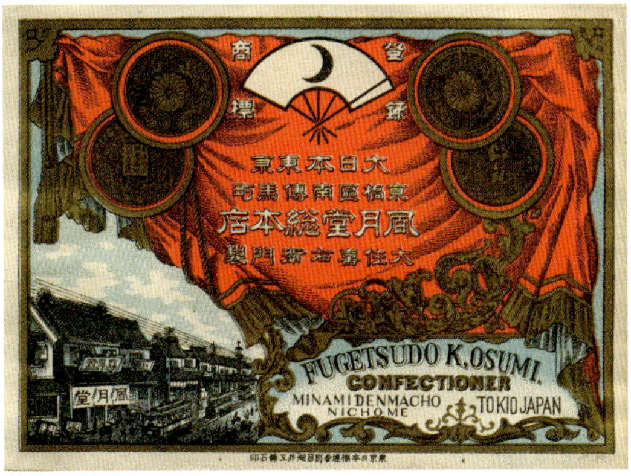

ラベル／凮月堂総本店・大住喜右衛門／92×127

ラベル／凮月堂米津支店・伊東直吉／83×127

ラベル／凮月堂米津支店・穂積峰三郎／81×124

ラベル／凮月堂分店・大住省三郎／92×123

ラベル／凮月堂米津支店・七澤康太郎／81×125

ラベル／凮月堂米津分店・米津武三郎／77×125

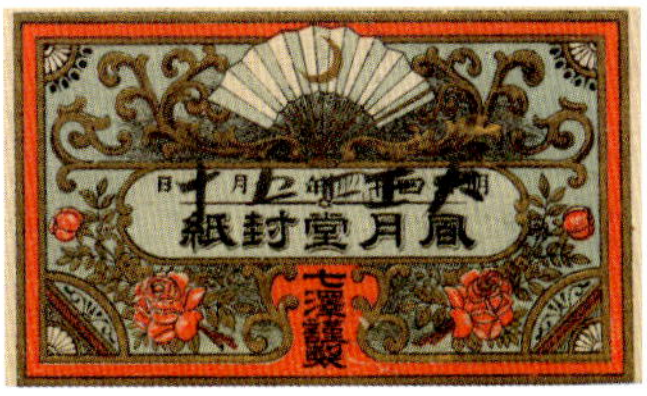

封緘ラベル／凮月堂／57×101

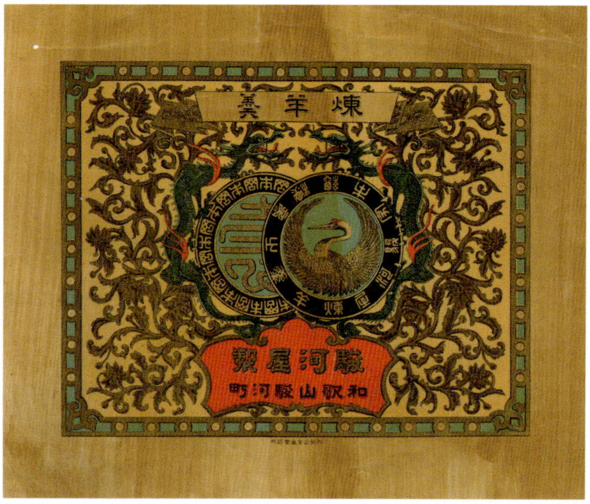

煉羊羹のラベル／駿河屋／161×194

ラベル／駿河屋／93×122

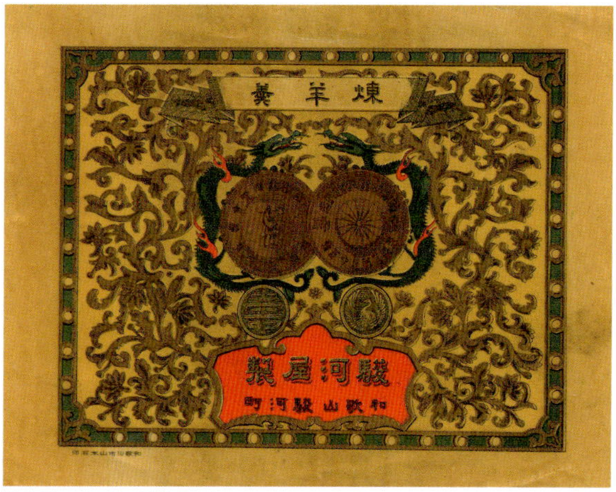

煉羊羹のラベル／駿河屋／147×189

進物缶／榮太樓總本舗／251×171×53

梅ぼ志飴の缶／榮太樓總本舗／102×151×40

ラベル／榮太樓總本舗・細田安兵衛／81×130

饅頭・羊羹の老舗、駿河屋の歴史は室町時代にさかのぼる。初代岡本善右衛門が京都伏見の郊外に「鶴屋」を開業、饅頭の販売を始めたのが起源である。江戸時代の初めには、徳川頼宣の愛顧を受けていたが、頼宣が紀州に移る際に召抱えの菓子司として同伴し、移転先の和歌山駿河町に店を構え直した。紀州徳川家御用商人として繁栄したが、貞享２年（1685）には将軍徳川綱吉の息女鶴姫の紀州家への輿入れが決まったため、同名を憚って屋号・鶴屋を返上することになり、徳川家ゆかりの屋号「駿河屋」を賜わった。但し鶴屋の名残は商標に鶴の姿で残され、現在に続いている。

榮太樓總本舗の創業は、安政４年（1857）に細田安兵衛が、日本橋のたもとに出していた屋台の菓子屋をたたみ、日本橋西河岸に店を構えた事に始まる。屋号もそれまでは井筒屋を名乗っていたが、安兵衛の幼名である栄太郎にちなみ、「榮太樓」と改めた。屋台時代からの人気商品である金つばをはじめ、甘納豆の元祖となった甘名納糖、梅ぼ志飴、玉だれ等、アイディアに富むお菓子を庶民向けに次々と商品化し、明治、大正とかけて業績を伸ばしていった。

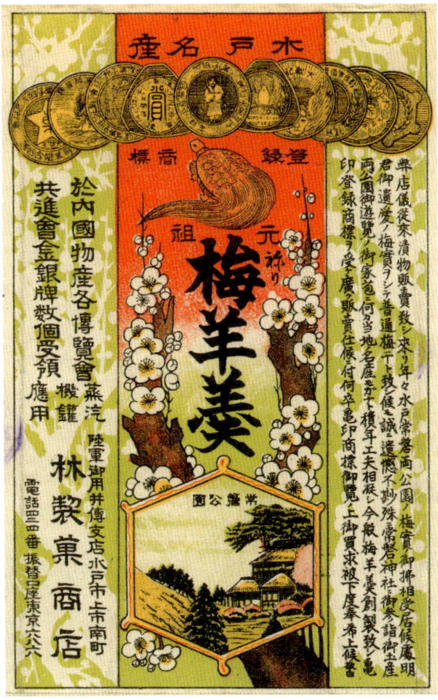

梅羊羹のラベル／林製菓／185×120

魚煎餅のラベル／湊屋／137×98

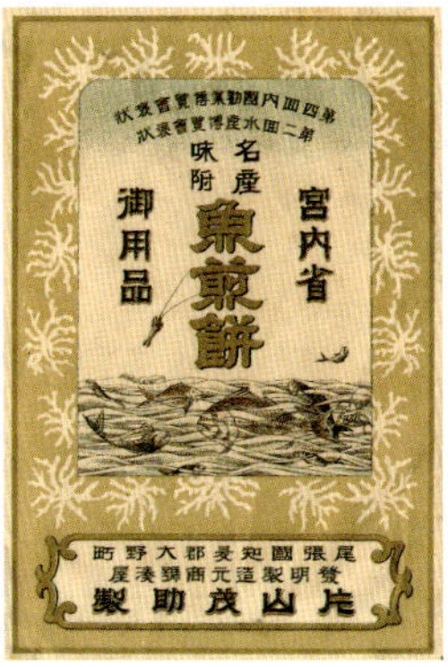

魚煎餅のラベル／片山茂助／156×108

ラベル／光月堂／81×125

ラベル／松月堂／102×123

月餅のラベル／湊屋／Φ100

ラベル／盛月堂／76×95

和洋菓子のラベル／新杵／69×99

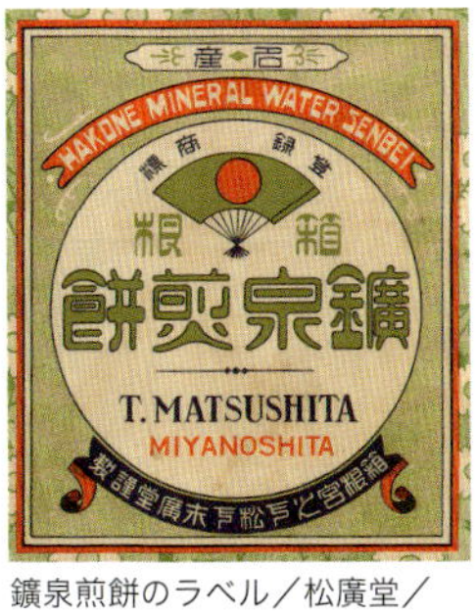

鑛泉煎餅のラベル／松廣堂／150×130

御餅饅頭のラベル／いろは餅老舗／102×124

佐賀県伊万里出身の森永太一郎が 11 年間に及ぶ渡米修行から帰国し、米国で得た洋菓子の製造法を日本で実践すべく東京赤坂に森永西洋菓子製造所を明治 32 年(1899)に立ち上げたのが、森永製菓の始まりである。マシュマロやバナナ(ソフトキャンディ類)といった日本ではまだ珍しい商品を揃え、まずは、菓子小売店への卸から商いをはじめたが、商品の評判の良さと、太一郎の努力により事業はたちまち軌道に乗った。当時の商品としては、マシュマロ、バナナに加え、キャラメル、フレンチメキスト、チョコレートクリーム等が人気であり、スター、フローレット、バナナドロップ等の乾燥物がそれに続いた。明治 36 年(1903)に大阪で開かれた第五回内国勧業博覧会では、チョコレートクリームが三等賞を獲得し、森永の名声を高めると共に、関西での販路も拡げる事にも成功した。明治 43 年(1910)には、それまでの森永商店を個人会社から株式会社化し、大正元年(1912)には社名を森永製菓株式会社と改めた。その後、大正時代にはキャラメルやチョコレート等、現在の主力商品の礎を築き、海外進出や宣伝広告にも力を入れ社業を益々発展させた。

クリームウエーファースのブリキ缶(紙貼り)/森永製菓/247×296×197

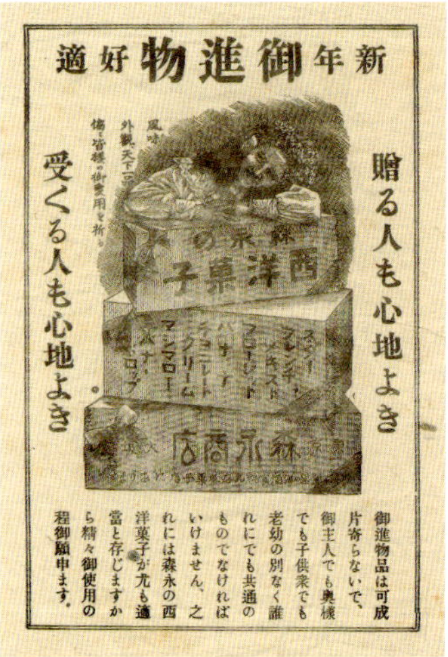

西洋菓子のチラシ/森永商店/220×150

クリームウエーファースのブリキ缶/森永製菓/249×107×97

スィートホームの大箱/森永製菓/262×172×97

ピーナットヌガーの大箱/森永製菓/250×182×79

スポンジメキストの進物箱/森永製菓/302×220×45

菓子進物箱/森永製菓/192×134×34

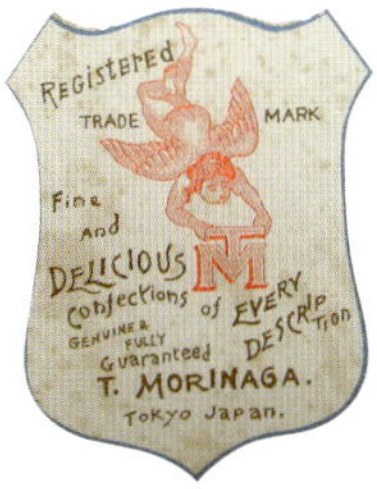

商標ラベル（明治後期）／
森永商店／65×55

商標ラベル（明治後期）／
森永商店／Φ65

商標ラベル（明治後期）／
森永商店／Φ65

商標ラベル（大正初期）／
森永製菓／Φ35

商標ラベル（大正中期）／
森永製菓／Φ65

商標ラベル（大正中期）／
森永製菓／14×23

商標ラベル（大正～昭和）／
森永製菓／31×41

商標ラベル（大正～昭和）／
森永製菓／Φ41

森永の商標であるエンゼルマークは、創業後まもなく設定されたもので、長い間、森永商品の顔として大衆に愛されてきた。『森永五十五年史』によると、当時、世の中の流れから、商標の必要性を痛感していた森永太一郎が、創業時の主力商品マシュマロが欧米でエンゼルフードと呼ばれているのに着目し、つばさを広げたエンゼルが太一郎のイニシャル TM につかまった姿を考え出したという。商標登録されたのは明治 38 年（1905）の事である。最初のエンゼルマークは髪の毛も長く、TM に斜めにつかまっていたが、大正中期になると、体つきが丸くなり、姿勢も真っ直ぐになおされ、全体的に可愛い雰囲気となった。

森永ピース／森永製菓／167×226×62

森永クウポン／森永製菓／42×85

森永ビスケットのラベル／森永製菓／147×221

ココアシガレット／森永製菓／
77×63

森永パール／森永製菓／56×53

ミルクキャラメルの大箱／森永製菓／253×245×102

日本のキャラメル製造の元祖は森永で、同社創業の明治 32 年（1899）より作られていた。但し当初はアメリカの製造法を真似たものだったので日本人の口には合わず、専ら横浜の居留地向けの注文販売であった。その後、日本の風土にも合うように改良が重ねられるとともに、もの珍しさも手伝って徐々に販売が伸びていった。大正 3 年（1914）に携帯に便利な押出し式紙サック容器が投入されるとたちまち空前の大ヒットとなり、キャラメルの大衆化が一気に進んだ。以降、大正期には、明治製菓、江崎グリコ、新高製菓など有力なキャラメルメーカーが登場、競争が激化した。
グリコのキャラメルは、創業者江崎利一が牡蠣の煮汁から抽出したグリコーゲンを元に開発したもので、大正 11 年（1922）に大阪で販売が始まった。おなじみのゴールインするランニング姿のトレードマークは、利一自らが子供たちの駆けっこ遊びから思いついたもので、「一粒三百メートル」の名コピーと共に、後世まで親しまれている。オマケを付けはじめたのは昭和 2 年（1927）からで、子供たちの人気を得て大ヒット商品となった。

チョコレートキャラメルのブリキ缶（紙貼り）／大竹製菓／276×198×113

グリコの箱／江崎グリコ／80×65

オーゴンの箱／佐藤製菓／88×46×18

ミルクキャラメルの箱／森永製菓／58×68

クリームキャラメルの箱／明治製菓／56×65

ミルクキャラメルの箱／明治製菓／49×49×18

東海キャラメルの箱／東海製菓／52×69

ミルクキャラメルの箱／新高製菓／51×65

クリームキャラメルの箱／ネッスル／49×94×20

ドロップは明治29年（1896）に芥川松風堂より日本で初めて発売され、その後、岸田地球堂等でも取り扱われたが、本格的な普及はドロップ王と称される佐久間惣次郎の登場を待たなければならなかった。惣次郎は、少年期に仕えた和菓子屋でドロップの研究を重ね、明治41年（1908）に独立創業した佐久間惣次郎商店より、佐久間式ドロップとして販売を始め、外国製品に負けない国産ドロップとして、好評を博した。保管に便利な缶容器は大正2年（1913）に登場。商標の船マークは、ドロップが輸入品に圧倒されている状況を、優秀な国産品にて打破し、更には海外進出もという理想が込められている。
一方、有力菓子メーカーである森永製菓や明治製菓も缶入りドロップを大正期に相次いで発売、佐久間に対抗した。

サクマ式ドロップスのブリキ缶（紙貼り）／佐久間製菓／125×176×60

森永詰合ドロップスの箱／森永製菓／90×230×35

森永詰合ドロップスの箱／森永製菓／125×267×50

アテナドロップス／佐久間製菓／Φ66×H23

森永詰合ドロップスの箱／森永製菓／88×228×38

明治ドロップ詰合の箱／明治製菓／88×225×40

森永スマートドロップス／森永製菓／85×64×25

森永チョコレートドロップス／森永製菓／106×81×38

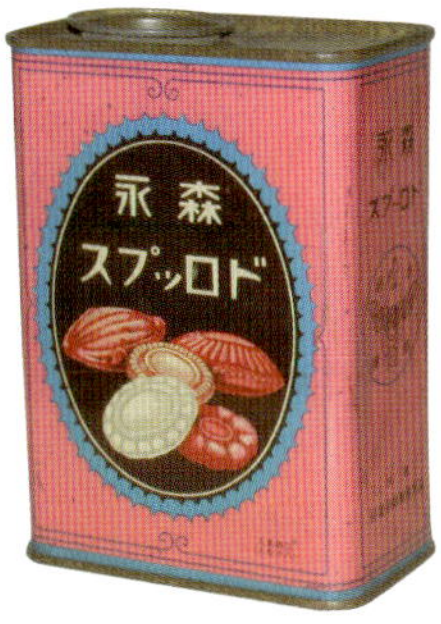

森永ドロップス／森永製菓／117×86×50

明治ドロップ／明治製菓／117×88×32

明治ドロップ／明治製菓／108×82×38

日本で初めてチョコレートを売り出したのは米津凮月堂である。明治 11 年（1878）米津松造によって商品化されたそれは、輸入原料を加工したもので、居留地の外国人らには好評であったが、当時の日本人には受け入れられなかったようである。本格的な量産に取り組んだのは森永太一郎率いる森永製菓である。同社は創業期より、輸入原料によるチョコレートクリームという商品を販売し人気を博していたが、大正 7 年（1918）には国内で初めてカカオ豆からの一貫生産による板チョコの量産に成功し、チョコレートを大衆に広めた。また、ライバルの明治製菓も大正 15 年（1926）にミルクチョコレートの機械生産を開始した。更に明治製菓は、昭和 30 年代に商品バリエーションを揃えて大量生産を始め、チョコレートの明治というイメージを確立させた。当時の包装紙は、チョコレート色の下地に金色の英文字がデザインされたものが多い。アメリカのハーシー製チョコレートのパッケージが元になっているようである。シンプルで画一的ではあるが中身の板チョコの魅力的な甘さを醸し出している印象的なデザインである。

明治ミルクチョコレートの包装紙／明治製菓／50×89

森永ミルクチョコレートの包装紙／森永製菓／45×91

ハト印ミルクチョコレートの包装紙／ONOTATSU／67×141

朝鮮飴の紙箱／祇園堂／246×171×39

太白朝鮮飴の紙箱／三好馬太郎／172×101×28

栗飴のラベル／大杉屋惣兵衛／86×110

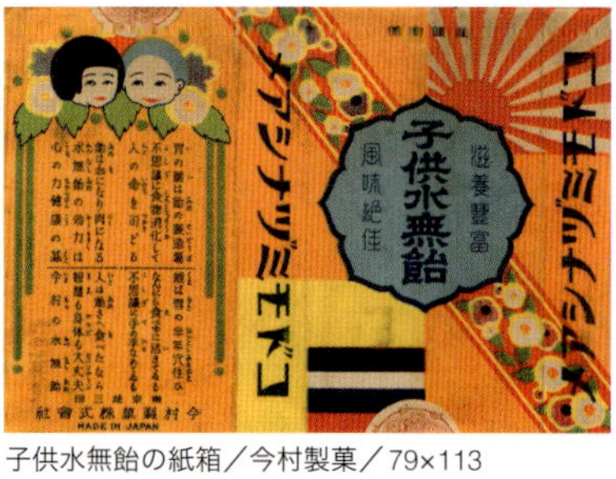

子供水無飴の紙箱／今村製菓／79×113

日の本アメの紙箱／三ツ矢製菓／63×63

ビスケットのラベル／凮月堂／φ100

ビスケットを国内で本格的に製造し始めたのは米津凮月堂の米津松造である。そのきっかけは、松造の子供が麻疹にかかった際、医師より滋養のためにもらった西洋ビスケットであった。松造にはバター臭くて口に合わず仏壇にしまっておいたものを、子供がいつの間にか残さず食べてしまっていた事がわかり、因習に囚われる事を反省し商品化を決断したという。試行を繰り返し、明治８年（1875）に商品化に成功した。発売当初は販売量はそれほど伸びなかったが、日清、日露戦争の軍需で注文が飛躍的に伸び、米津凮月堂の経営も軌道に乗ったという。
また、森永ビスケットの発売は、大正４年（1915）であるが、これも戦争による南方方面の外需に応えるための輸出専門品であった。国内向けは大正12年（1923）に製造開始された。

マンナの宣伝団扇／森永製菓／354×233

ライオンビスケットの箱／ヒラオカ／193×113×63

アズマビスケットの箱／ミカワ屋商店／232×146×75

しき島印ビスケットの箱／モリノ／120×181×42

カル素の箱／カル素合名会社／290×215×51

ビスコの缶／グリコ／223×142×45

カルケットの缶／中央製菓／128×144×113

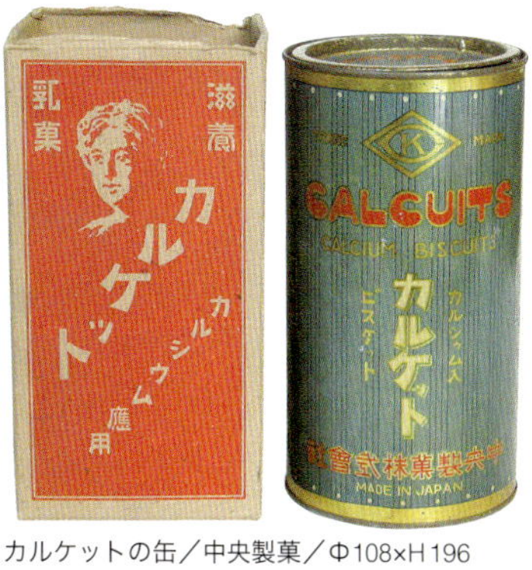

カルケットの缶／中央製菓／Φ108×H196

Foods

食料品

日本に伝来した仏教の思想である不殺生を周知させるため、天武天皇が肉食を禁じる勅令を発令したのが７世紀後半のことである。以来、日本では牛や馬、鶏等の家畜の肉を食べず、米と野菜、魚介類を中心とした食習慣が定着した。一部病人へ栄養をつけるため、鹿や猪の肉が薬用に食されたという例外はあるものの、基本的には肉抜きの食文化が江戸時代が終わるまでの1200年の長きに渡り続いた事になる。これは、肉食を導入せずとも、豊富な海の幸、山の幸で食料を賄える日本の風土、気候の恩恵によるところが大きかったと思われる。ところが幕末の開港に伴い、肉食を中心とした西洋料理が流入されるようになると、食文化は徐々にではあるが変容を遂げる事となった。最初は肉食に拒絶反応を見せていた人々も、明治５年（1872）に明治天皇が日本人の体格向上と食文化の国際化を目的に、自ら獣肉を食し肉食を奨励したのを機に、次第に受け入れるようになった。しかし、西洋料理そのままのメニューはなかなか日本には馴染まず、肉食の普及が促進されたのは、牛鍋やすき焼きといった日本人の好みに合った料理方法が考え出されてからである。これらはそれまでにあった猪鍋の食べ方を牛肉に応用したものであるが、政府推奨の高滋養の食べ物をおいしく食べられる方法とあって大流行した。東京や大阪等の大都市に連立した牛鍋屋は大変繁盛したという。

文明開化がもたらした食生活の変化は、食肉の解禁の他にも、牛乳の普及、西洋野菜や果物の輸入と栽培、洋酒の登場等があり、それらは日本食とうまく融合しながら、豊かな食文化を築いていった。

日めくり台紙／関西養牛社／259×180

牛肉味噌漬のラベル／きのくにや商店／171×122

1810年代にイギリスで実用化された「缶詰」は、食料品を腐敗させずに長時間保存する事が出来る画期的な発明であった。アメリカに渡ると、南北戦争（1861～）での軍用需要が引きがねとなり、工業として大きく発達した。日本では明治4年（1871）に長崎で松田雅典がフランス人の指導のもと、いわしの油漬缶詰を試作したのが最初とされる。明治10年（1877）年には、北海道に設立された官営缶詰工場で、石狩川のサケの缶詰が販売用として本格生産された。都会から遠く離れた北海道でとれた食料が長期保存できる缶詰の技術は、商品の流通に改革をもたらすものであった。その後、日清、日露戦争の軍需用として生産数も更に伸び、缶詰産業は大きく伸張していった。中身は、魚介類の他、肉、野菜、果物、きのこ等、多種に及び、当時の食生活を大いに豊かにした。中身を事前に見ることが出来ない商品だけにラベルの重要度も高かったと思われ、デザイン的に完成されたものが多い。

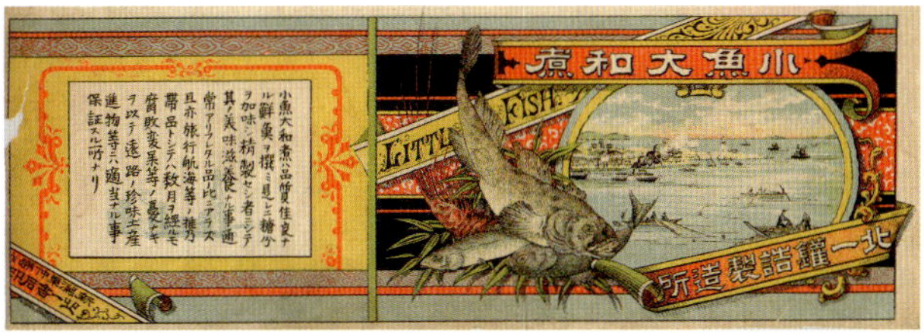

小魚大和煮の缶詰ラベル／北一鑵詰製造所／74×217

鯛の缶詰ラベル／中野仲太郎／103×250

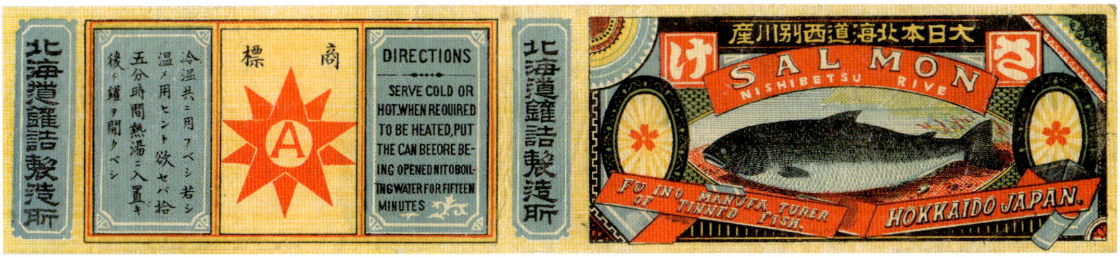

さけの缶詰ラベル／北海道鑵詰製造所／67×318

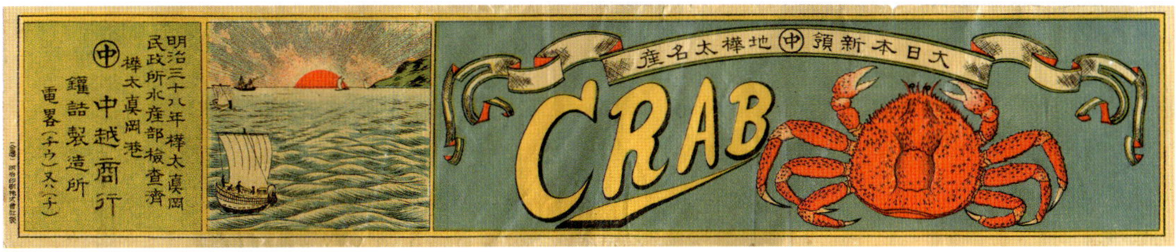

かにの缶詰ラベル／中越商行／64×310

秋刀魚大和煮の缶詰ラベル／明石傳七／55×338

くじらの缶詰ラベル／利岡松太郎／106×230

ぶりの缶詰ラベル／日本鑵詰株式会社／107×245

鮪の缶詰ラベル／南本徳治／105×265

鯖の缶詰ラベル／マル合鑵詰製造所／100×260

缶詰ラベル／山口鑵詰製造所／108×255

ぶりの缶詰ラベル／ウスキ鑵詰所／105×235

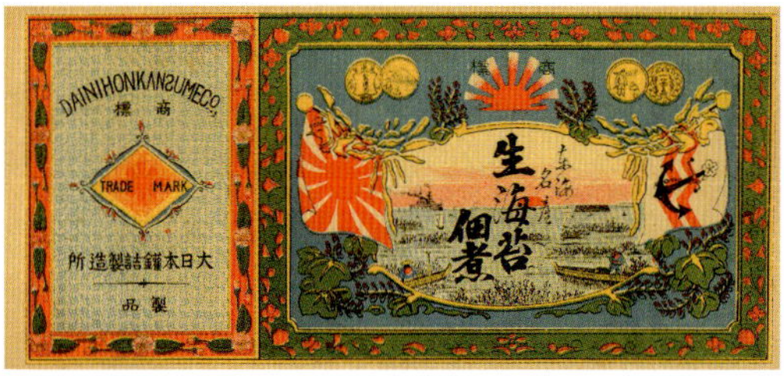

生海苔佃煮の缶詰ラベル／大日本鑵詰製造所／89×195

生海苔佃煮の缶詰ラベル／三和商店／83×185

鮑魚の缶詰ラベル／鈴木洋酒店／106×240

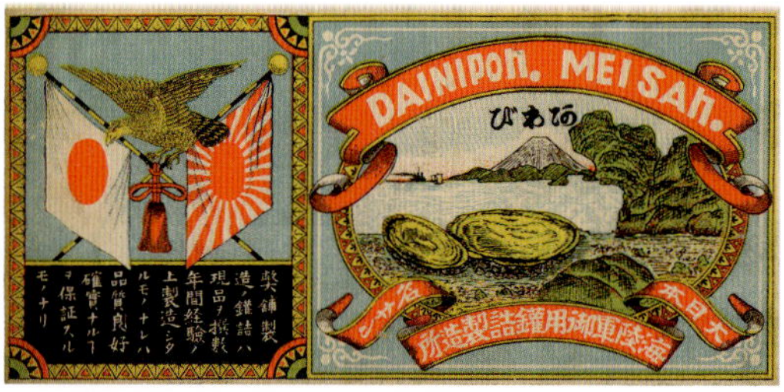

あわびの缶詰ラベル／海陸軍御用鑵詰製造所／104×222

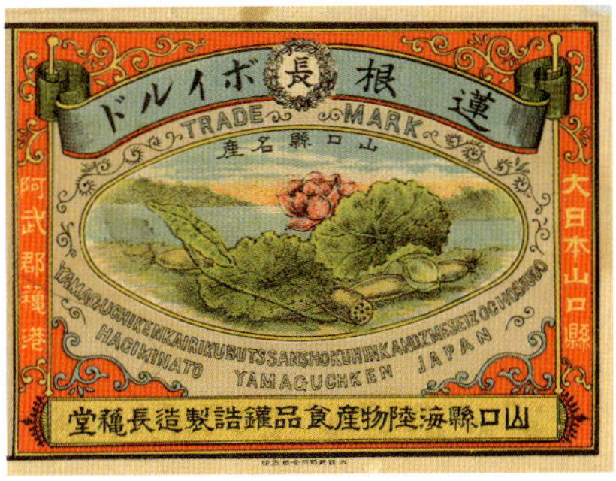

蓮根の缶詰ラベル／長穐堂／109×140

牛肉やまと煮の缶詰ラベル／松浦泰次郎／53×240

旭奈良漬の缶詰ラベル／松下善四郎／53×237

志めじの缶詰ラベル／田村菊次郎／104×249

小なしの缶詰ラベル／105×255

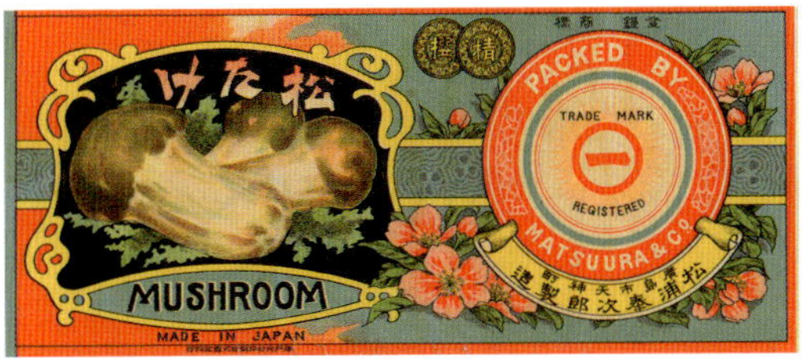

松たけの缶詰ラベル／松浦泰次郎／102×235

松茸の缶詰ラベル／森井商店／104×245

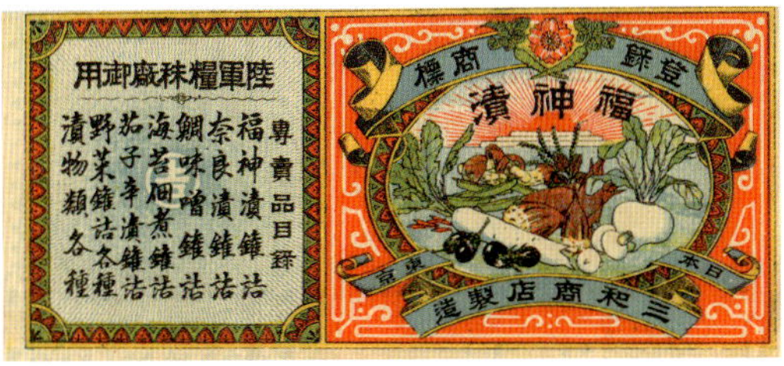

福神漬の缶詰ラベル／三和商店／84×185

お多福豆の缶詰ラベル／松下商店／103×248

牛肉倭煮の缶詰ラベル／脇隆景／106×255

廣島産牛肉の缶詰ラベル／106×247

海に囲まれた島国日本において海苔を食用とした歴史は古く、８世紀初頭の大宝律令に税目の一つとしてその存在が記されている。しかし当時は一部の貴族しか食することが出来ない貴重品であった。江戸時代になり、現在と同じように板状に乾燥させ、乾し海苔にする加工方法が考え出されると、食利用の幅が拡がった。更に江戸中期には養殖が始まったことにより、生産量も増え、ようやく庶民層にも普及した。焼海苔に味をつけた「味附海苔」を、明治２年（1869）に日本で初めて考案したのは「山本海苔店」である。同店は山本徳治郎により、嘉永２年（1849）、日本橋に創業された老舗であり、丸梅マークの商標で知られている。（梅の咲く時期に最も上質の海苔が採取されることに由来）また明治 10 年（1877）に来日した博物学者 E.S. モースが米国に持ち帰った当時の日本の日用品コレクションの中に山形屋窪田惣八製の味附海苔のブリキ缶（中身入り）がある事も『モースの見た日本』（小学館）等で紹介されている。

味附海苔／山形屋窪田惣八／162×101×42

味附海苔／山本海苔店 山本徳治郎／168×100×40

商標ラベル／山本海苔店 山本徳治郎／Φ38

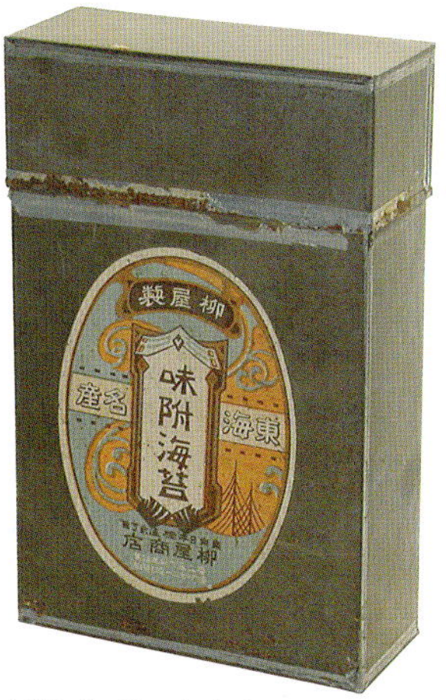

味附海苔／柳屋商店／188×120×49

御海苔／山本海苔店 山本徳治郎／248×117×82

海苔の箱容器／溝口商店／Φ158×H90

御海苔の包紙／山形屋海苔店／230×370

味附海苔のラベル／林屋政五郎海苔店／121×86

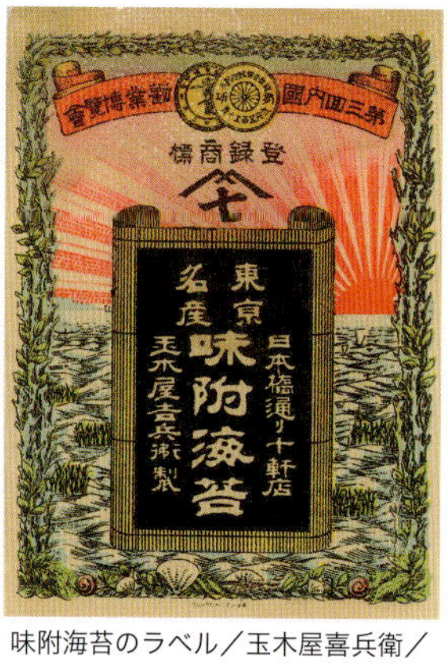

味附海苔のラベル／玉木屋喜兵衛／127×92

三嶋豆のラベル／大阪製餡所／三嶋治兵衛／128×221

梅印さらしあんの袋／
大阪製餡所／254×59

桃太郎印サラシアンの袋／
大阪製餡所／295×78

金時印さらしあんのラベル／
共栄館／180×75

さらしあんのラベル／
大阪製餡所／185×77

さらしあんのラベル／
長野製餡所／185×73

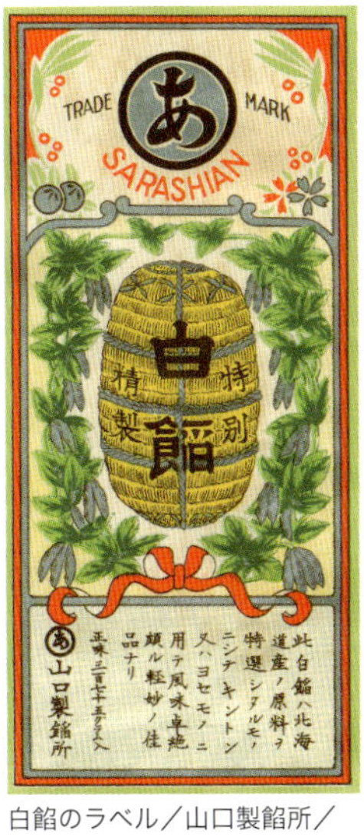

白餡のラベル／山口製餡所／
158×70

片栗粉のラベル／177×72

片栗粉のラベル／141×55

ドライミルク缶容器／森永煉乳／
Φ87×H98

ドライミルク缶容器／森永煉乳／
Φ76×H113

ドライミルクの絵葉書／森永煉乳／
137×88

森永乳業の前身である日本煉乳株式会社は大正６年（1917）に創業された。大正９年に森永製菓と合併、翌大正10年（1921）に国内初めての機械装置による育児用粉乳「森永ドライミルク」が発売された。昭和２年には森永製菓より森永煉乳として分離独立、その後、昭和24年（1949）の森永乳業設立へと至る。乳児を使った当時の広告は見るものの心を和ませる。

森永ミルクのチラシ／森永煉乳／205×145

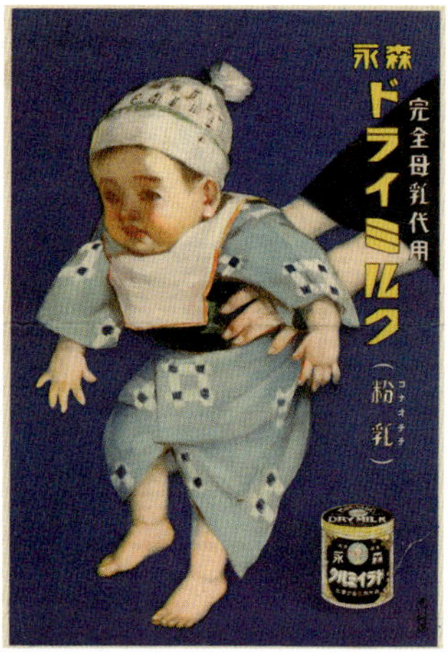

ドライミルクのチラシ／森永煉乳／
215×154

スウィスミルクのチラシ／ネッスル／
223×141

リンゴやブドウなどの多くのフルーツは明治以降に輸入された苗により日本での栽培が始まったが、収穫が軌道に乗るまでには相当の苦労、試行錯誤が重ねられたという。またバナナについては、台湾からの輸入が明治期に始まったが、年間輸入量の制限があった。このようなわけで明治から昭和初期にかけてのフルーツは非常に貴重であり、高級果物店やデパートで取り扱われる高級商品であった。

内外果物のラベル／青木藤次郎商店／135×189

果物のラベル／松屋呉服店／
151×189

和洋珍果實のラベル／
松井源之助商店／107×127

明治の後期に、東京帝国大学の化学者、池田菊苗によって、料理に用いるダシのうま味成分がグルタミン酸である事が発見され、それをソーダで中和したグルタミン酸ソーダが新しい調味料として特許化された。それを事業化したのが、以前よりヨードの製造、販売を手掛けていた鈴木三郎助である。鈴木は新調味料の将来性を見込み、「味の素」の商標をつけて明治42年（1909）5月に鈴木商店より発売した。当初売れ行きは芳しくなかったが、大正の中頃から昆布ダシに馴れ親しんでいる関西方面から受け入れられ、やがて全国に普及するようになった。今では、味の素の「うま味」は食品の四つの基本味、「甘味、酸味、塩味、苦味」とは全く独立した基本味として国際的に立証されている。味の素のパッケージデザインは当初より赤が使われ、周囲には原料である麦（後に大豆も加わる）が配置された。中央の女性は東京新富町の芸者をモデルにしたという。字体は、初期にはゴシックが使われたが印象を和らげるため江戸文字風の書体に改められた。

「味の素」のラベル／鈴木商店／85×51

「味の素」の瓶容器／
鈴木商店／H84

「味の素」の紙製丸型容器／
鈴木商店／φ66×H34

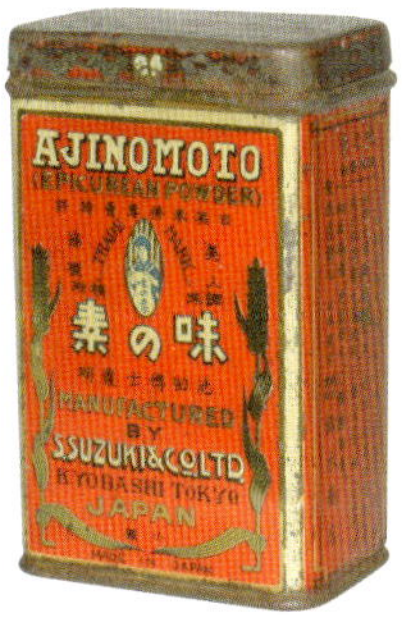

「味の素」の缶容器／鈴木商店／
90×59×38

「味の素」の缶容器／鈴木商店／
110×81×50

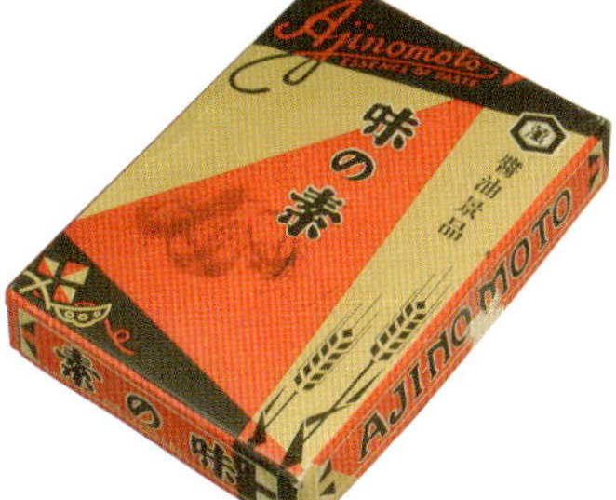

「味の素」の贈答用箱／鈴木商店／
190×134×33

「味の素」の贈答用箱／鈴木商店／
216×160×46

「味の素」のポスター／鈴木商店／266×770

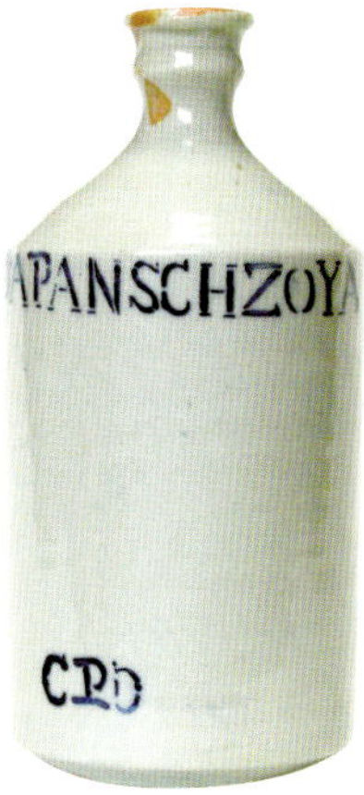

コンプラ瓶（江戸時代）／H158

醤油は、味噌作りの際、桶の底にたまる液汁、即ち「溜り」が元になって誕生したと言われており、室町時代には高価な調味料として一部の上流階級の人々に使われていた。本格的に生産されるようになったのは江戸時代に入ってからである。江戸時代初期より、気候や材料の調達に恵まれた龍野、紀州湯浅、小豆島等、関西が中心となって醸造が発達した。関東でも、当初は品質の良い関西（上方）からの「下り醤油」が主流であったが、江戸時代中期になると、野田や銚子で作られる濃口醤油が次第に好まれるようになっていった。また、日本の醤油は、鎖国中の江戸時代、長崎の出島よりオランダ等へ盛んに輸出されていた。容器として使われた白磁の焼き物は「コンプラ瓶」と呼ばれ、九州の伊万里や波佐見で焼かれていたものである。肩には「JAPANSCHZOYA（日本の醤油）」とオランダ語で書かれ、主に大阪や京都の醤油が詰められていた。
江戸時代の醤油の産地、龍野（兵庫県）、小豆島（香川県）、銚子（千葉県）、野田（千葉県）は、現在においても醤油生産の中心的存在であり、ヒガシマル、マルキン、ヒゲタ、ヤマサ、キッコーマン等の主力メーカーが醸造を続けている。醤油の商標としては、亀甲形、丸形、山笠形、分銅形等の図形と社名又は商品名の一文字を組み合わせた図案が多く見受けられる。それらの起源には定説は無いようであるが、『野田醤油株式会社三十五年史』には、造家が醤油を馬で運んでいた時代に荷馬を区別するためにつけた「馬印」が転じたという説が紹介されている。醸造業者が多くなると、評判の良い先行業者の商標を模倣して付けられるようになり、その結果、似かよった図形に集約されてきたようである。

醤油のラベル／田中久右衛門／58×81

最上醤油のラベル／ヤマサ醤油／129×172

ヤマサ醤油のラベル／68×85

日本醤油醸造株式会社のポスター（明治42年）／510×390

最上醤油のラベル／
茂木啓三郎／106×78

マル千醤油のラベル／
細野捨次郎／105×80

最上醤油のラベル／
平野浦治郎／106×75

最上醤油のラベル／
大野保／100×78

キッコーマン最上醤油のラベル／
野田醤油／112×88

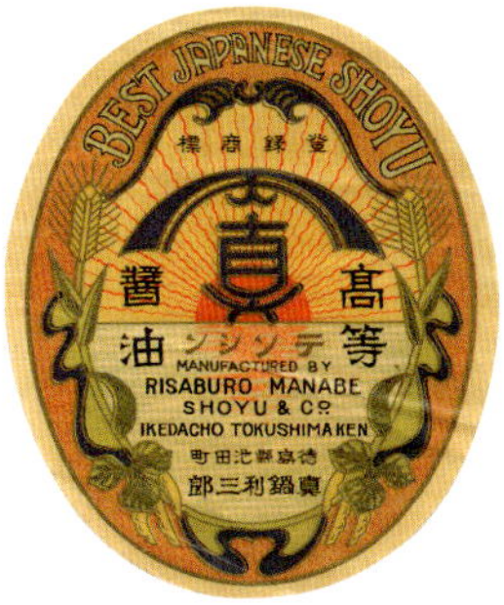

高等醤油のラベル／真鍋利三郎／
118×100

醤油のポスター／堅波商店／540×392

ヒガシマル淡口醤油のラベル／
浅井醤油／99×71

高等醤油のラベル／丸金醤油／
96×71

キッコーマン醤油のチラシ／
野田醤油／167×155

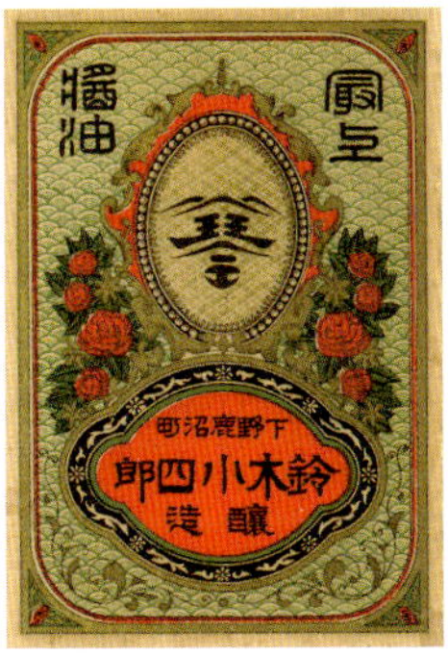

最上醤油のラベル／
鈴木小四郎／98×68

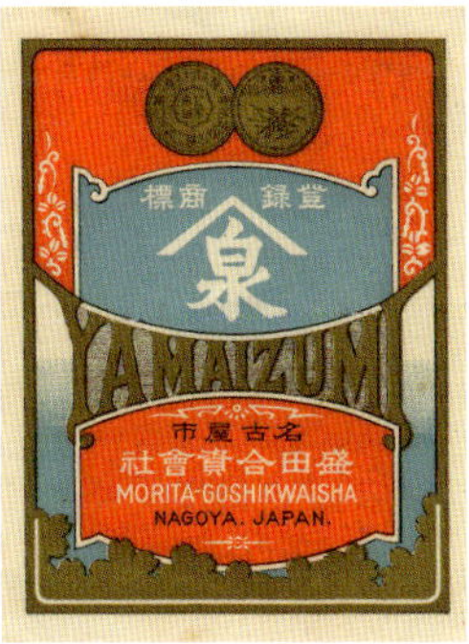

山泉醤油のラベル／盛田／88×67

キッコーマン醤油のチラシ／
野田醤油／343×99

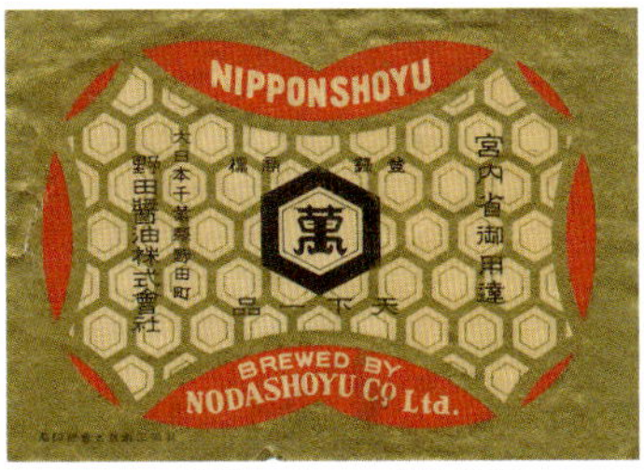

キッコーマン醤油のラベル／野田醤油／
65×93

最上醤油／今川醤油／74×105

ヒゲタ醤油のチラシ／171×192

中央ソースの瓶／
H234

白玉ソースの瓶／
H198

カゴメソースの瓶／
H237

イカリソースの瓶／
H195

三ツ矢ソースの瓶／
H230

キッコーマンソースのラベル／野田醤油／
75×65

19世紀の初めに、イギリスのウスターシャ地方で生まれたウスターソースは、幕末から明治初頭にかけて日本に伝わってきた。当時は西洋の醤油として捉えられ、日本の醤油と同じようにおかずにたっぷりかけたところ、味が強すぎたため、評価は余り良くなかったようである。『カゴメ八十年史』によると、日本で最初にソースを製造したのはヤマサ醤油とされる。明治20年(1887)、米国向けに「ミカドソース」、国内向けに「新味醤油」として売り出したが、時期尚早だったのか1年後に製造中止となった。しかし、その後の洋食の普及と共に、日本人の口に合うように改良された国産ソースが、明治20年代後半より、相次いで製造されるようになった。商品化は大阪が先行し、「三ツ矢ソース」(明治27年)、「錨印ソース」(明治28年)、「白玉ソース」(明治31年)が成功を収めた。東京では、「MTソース」(明治39年)、「犬印ソース(後のブルドックソース)」(明治39年)が有名である。中部では「カゴメソース」が明治41年(1908)に発売された。大正の頃のソース瓶は、各社の商標がエンボス加工され、味わい深い趣きがある。

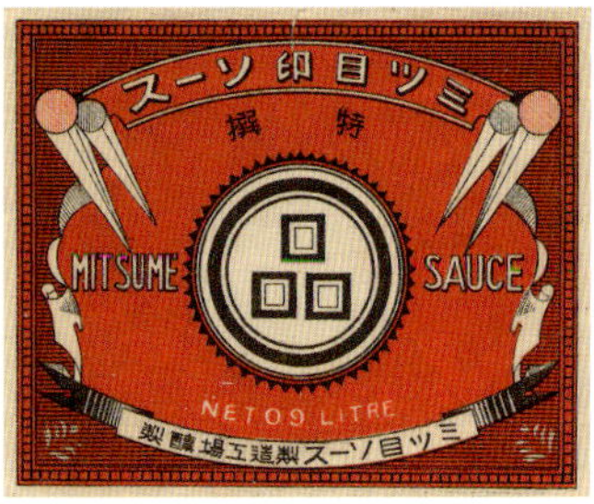

三ツ目印ソースのラベル／75×65

カブトソースのラベル／106×133

チキンソースの瓶／
H205

ブルドック印ソースのラベル／91×94

第5章
繊維・日用品

・繊　維
・文　具
・娯楽品
・百貨店

Textile

繊維

古代から室町時代にかけて衣料用の布には、麻や苧麻等の植物繊維や絹が使われていた。但し、絹は高級品であり、平安時代の十二単に代表されるように上流階級での着用が主であった。一般の人々は布子といわれる麻の繊維で作られた衣料を身に付けていた。その後、中国から伝来した綿花が、室町後期から江戸時代にかけて全国的に栽培されるようになると、庶民には手頃な木綿衣料が麻に代わって定着していった。江戸の粋と言われる縞や絣、小紋等の木綿文様が町人の間で発達したのも、倹約令の下、いかに木綿をお洒落に着こなすかの工夫であった。幕末になり開港されると、金巾や更紗等の綿織物や、呉呂やモスリン等の毛織物が輸入されるようになり、当時の服飾文化に大きな影響を与えた。これに対し、西陣、桐生、足利、入間等の国内の伝統的な産地は、絹綿交織製品の開発や化学染料の導入等で対抗した。また、殖産興業の元、各地に開設された近代的な紡績工場での機械生産は、綿糸の国内生産量を飛躍的に伸ばし、綿糸、綿織物の自足化を果たした。更に明治30年代には綿製品の輸出額がそれまで一位の生糸と肩を並べるまで成長した。

一方、被服の商品形態に目を向けると、消費者は呉服店等から反物を購入し、自家で仕上げるか仕立て屋に注文するかが一般的であった。明治10年頃から既製服も作られ始めていたようであるが、それが一般的になるのは戦後である。本章で紹介のラベル類は、明治中期から大正にかけての反物に貼付されていたものが主で、ラベルには、～絣、～縞、～双子等の文字が記載されたものが多く、当時の服飾の流行が見て取れる。人物や動物をメインモチーフとし、その周囲を花木で装飾した秀逸なデザインが多く、当時の商業デザインをリードしたものと思われる。

呉服太物類の引札／根来善吉店／257×374

久留米縞のラベル／國武合名会社／180×124

ラベル／中尾榮次郎／164×120

紀州物産のラベル／和田熊太郎／168×149

久留米絣のラベル／國武合名会社／183×125

山繭織のラベル／横山亀次郎／95×128

紀州物産のラベル／仁阪清之助／168×149

現在、国の重要無形文化財となっている久留米絣は、天明8年（1788）に米穀商の娘として生まれた井上伝によって発明された。伝は13歳の頃、着古した藍染めの着物に白い斑点ができる事からヒントを得て、木綿糸を染める際にくくり糸で巻いて染まらない部分を作れば、それが布に織られた時に雪のような美しい紋様となる事に気づき、これを商品化したのである。布がかすれたようなデザインから「お伝かすり」と名付けられたこの織物はたちまち評判となり、やがて久留米を代表する製品へと成長していった。

ラベル／六盟商会／174×126

阿波精藍のラベル／徳島織物／106×137

ラベル／三宅祐二郎／137×186

紀井物産のラベル／宇田嘉助／159×130

ラベル／本村合名会社／133×164

ラベル／川﨑商店／111×141

改良玉糸のラベル／北澤仁伯／85×71

ラベル／菊元小一郎／104×127

ラベル／島村善七／127×160

コットンフランネルのラベル／前田義夫／174×125

西陣改良ネールのラベル／浅井織製場／172×129

ラベル／酒井武兵衛／127×148

ラベル／和田熊太郎／111×89

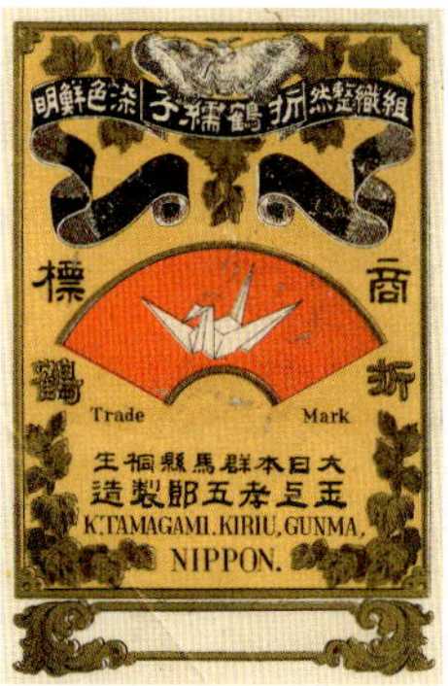

折鶴繻子のラベル／
玉上孝五郎／111×75

有松絞のラベル／服部幸平／91×107

ラベル／山田留吉／137×112

ラベル／津村直助／169×121

ラベル／京都堅牢紅染工場／135×98

ラベル／Y. YANASE ／169×126

ラベル／伊藤萬／193×131

吉備朝日織のラベル／96×128

ラベル／南分吉九郎／120×163

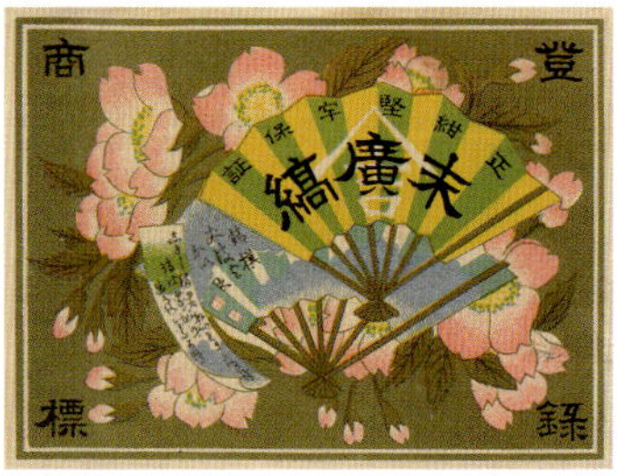

末廣縞のラベル／95×128

ラベル／岡崎／94×122

ラベル／天満織物／107×164

藍絣のラベル／117×138

藍絣のラベル／森田基商店／125×155

東京双子のラベル／120×89

紺絣のラベル／124×156

吉備織のラベル／和田百商会／134×169

ラベル／紅染工場／89×118

ラベル／國武合名会社／126×160

ラベル／212×142

ラベル／京都西陣伊吹織工場／172×210

ラベル／155×110

鼻高印のラベル／135×97

美舛染のラベル／169×124

美舛染のラベル／168×109

ラベル／KANSUKE, BRAND／146×113

ラベル／147×113

ラベル／163×110

進歩の競争のラベル／162×115

進歩の競争のラベル／169×122

あさひ縞のラベル／173×108

花嫁印のラベル／177×103

武州特産のラベル／168×110

久留米絣のラベル／木村合名会社／177×125

菊美人のラベル／166×106

吉野静印のラベル／160×107

イージーおしめ／大和ゴム製作所／215×104×18

イージーおしめ／大和ゴム製作所／77×108×34

イージーおしめ／大和ゴム製作所／77×108×34

イージーおしめ／118×70×25

旭馬印絹カタン糸／165×67×31

絹カタン／166×65×30

絹カタン／119×109×34

銀福助カタン／100×90×29

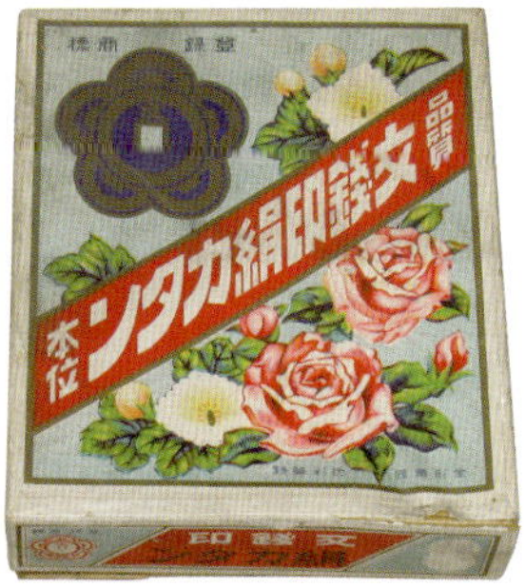

文銭印絹カタン／128×112×35

足袋メーカーの雄「福助足袋」の前身、「丸福」が大阪の堺に創業されたのは、明治 15 年(1882)の事である。創業者は綿糸商を父に持つ辻本福松で、利発で努力家の彼は、堺で生産される足袋を全国的なブランドに高めるとともに、ミシン導入による大量生産の実現等、多くの功績をあげた。後世に残る福助マークを考案したのは、福松の長女の婿養子である豊三郎である。明治 32 年(1899)、それまで使用していた丸福の商標が同業者の訴えにより使用できなくなる事態に陥っていた時期、豊三郎が伊勢の古道具屋でたまたま発見した福助人形に胸を打たれ、それを商標として採用したのが始まりである。以来、親しみのあるこのマークは、全国的に浸透し、日本の足袋の代名詞になるまで成長していった。

雲齋足袋のラベル／福助足袋／Φ84

寶船足袋の包装用袋／福助足袋／333×118

家庭足袋のラベル／福助足袋／Φ141

福助ベッチン足袋のラベル／福助足袋／Φ84

五福印足袋のラベル／九文／90×67

太陽足袋のラベル／75×50

家庭足袋のラベル／福助足袋／76×54

日本足袋のラベル／75×52

堺足袋のラベル／山口商店／68×51

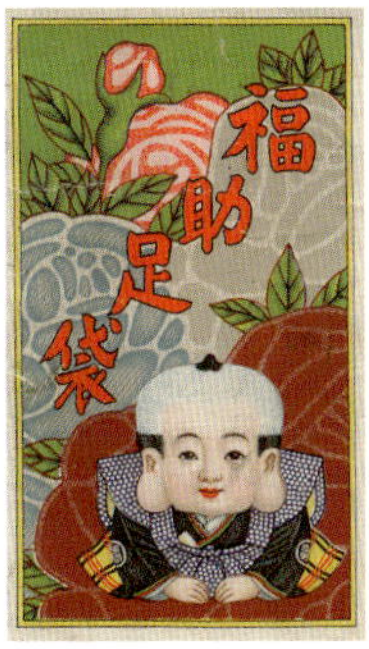

福助足袋のラベル／82×48

おつとめ足袋のラベル／福助足袋／82×48

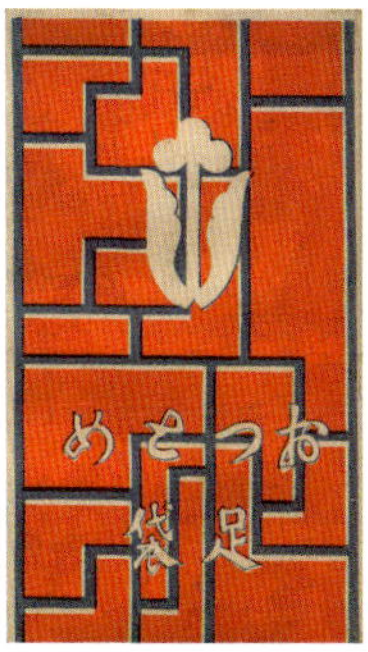

おつとめ足袋のラベル／84×48

特製足袋のラベル／83×47

登城足袋のラベル／92×53

Stationery

文具

文具の中でも、筆、墨、硯、紙の四品は古くより「文房四宝」と呼ばれ、伝統的な技で磨き上げられた工芸品として伝えられてきた。日本でも開国以前の筆記手段は、それらを用いた毛筆が中心であったが、明治中期には西洋より伝わった鉛筆やペン、万年筆等の硬筆が使われ出し、紙類も西洋紙に代わっていった。

鉛筆が日本に最初に伝わったのは、江戸時代の初めオランダ貿易によってもたらされたものが徳川家康に献上されたこととされるが、実用化は明治に入ってからである。初めての国産化は、明治6年(1873)のウイーン万博で製造法を学んだ井口直樹らによってなされた。その後、工業化の基礎を作ったのは三菱鉛筆の前身、真崎鉛筆製造所の創業者真崎仁六(まさきにろく)である。真崎は明治11年(1878)のパリ万博で見た欧州の鉛筆に強く心を惹かれ、帰国後ほぼ独学で鉛筆作りに没頭し、苦心の末、明治20年(1887)に製造を始めた。明治34年(1901)には逓信省の御用品として納入するまでの高品質の製品に仕上げた。

一方、万年筆が日本に始めて登場したのは、明治17年(1884)で、横浜のヴァン・ダイス商会が輸入し、丸善が販売した。それはスタイログラフィックペンと呼ばれるもので、軸先に針が仕込まれており字を書くときに軸先を紙に押し付けると針が引っ込んでその回りからインキが出る構造のものである。このペンは明治中期頃まで硬筆用具の中心的な位置を占めていたが、後に輸入されるようになった金ペン付き万年筆の普及が進むとその座は取って替わられた。国内での需要の高まりにつれ明治後期から大正にかけて、国産化も進んだ。まず、明治44年(1911)に、坂田齊次郎(セーラー万年筆の創業者)が金ペン先の国産化を果たした。大正7年(1918)には、パイロットの前身「並木製作所」が並木良輔と和田正雄により設立された。並木は船員時代の親友である和田の資金援助を受け、金ペンをパイロットブランドで商品化し、成功を収めた。

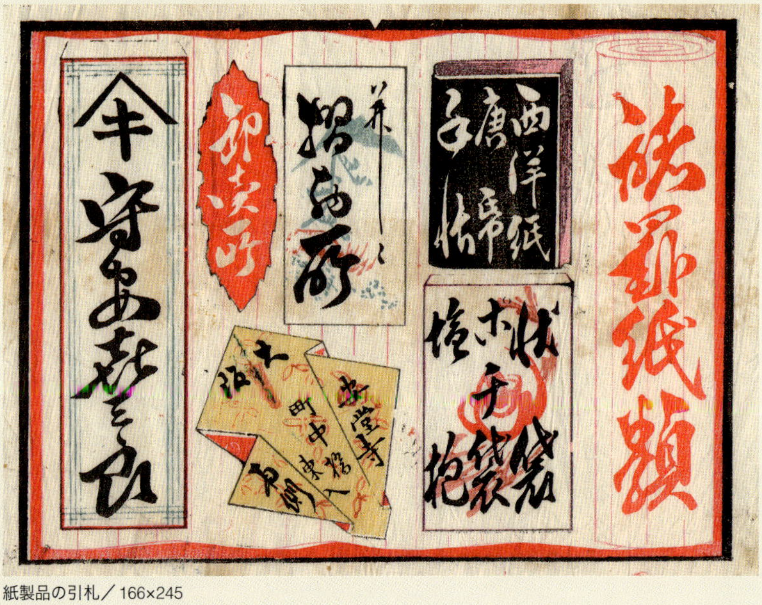

紙製品の引札／166×245

石盤は明治から大正にかけて小学校等で使われていたノートの前身といえる文具である。石筆と呼ばれる筆記具で文字を書き込み、学習後、その文字を消しては繰り返し利用していた。当初は文字通り石製の重い物だったが、厚紙にコールタール加工した「紙製石盤」が明治中頃に登場してからは使いやすさが飛躍的に向上した。裏面には時間割表等が印刷されているものが多い。子供向け文具にもかかわらず、表紙のデザインは明治テイストが溢れる重厚なものである。一般的に子供向けの可愛い図案が商業用に登場するのは明治後期から大正にかけての事であるので、それまでは大人が消費の主導権を握っていたのであろう。

改良紙製石盤／CHUKYOJINEYDO／200×140×5

紙製石盤／東京ヤマキ／198×137×2

改良紙製石盤／文具同盟会多山／193×140×5

金剛紙石盤／S.O&Co／201×139×3

改良紙製盤／澤井龍池堂／192×138×6

改良紙製石盤／ミツワ文具製作所／192×139×6

精製紙製石盤／三田堂／201×147×2

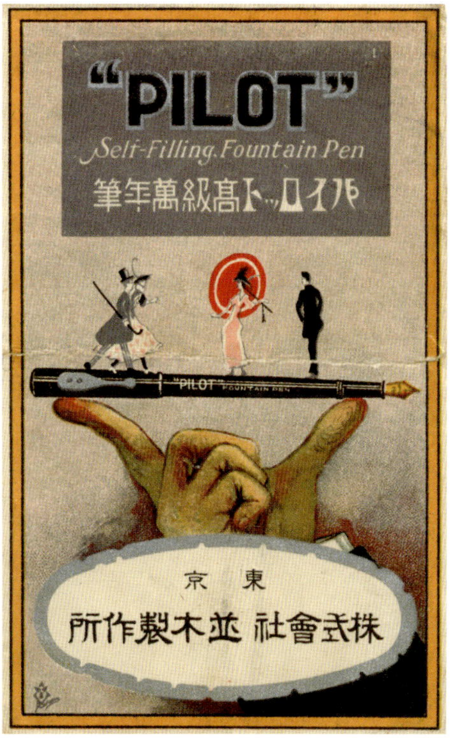

パイロット高級万年筆の絵葉書／並木製作所／141×89

インキは、明治の初めの頃より輸入品が一部の文人の間で使われていたようであるが、一般に出回るようになったのは、万年筆が流行し始めた明治後期からである。舶来物が主流の中でも、国産化の試みは早くからなされており、最初の国産インキは、明治 11 年（1878）に丸善の依頼により安井敬七郎が製造したものとされる。また篠崎インキ製造の創業者である篠崎又兵衛も明治 17 年（1884）に商品化を果たした。その後も、丸善と篠崎が中心となり、国内の需要に応え、大正期には丸善の「アテナインキ」と篠崎の「ライトインキ」が大ヒットした。両社に続くブランドとしては、並木の「パイロットインキ」や中山太陽堂の「プラトンインキ」、中屋製作所の「プラチナインキ」等があり、大正中期以降、徐々に頭角を現していった。円筒型、円錐型、立方体型等の様々な容姿をしたインキビンは、紳士の書斎に彩りを添える個性的な脇役であった。

丸善インキ／丸善／H68

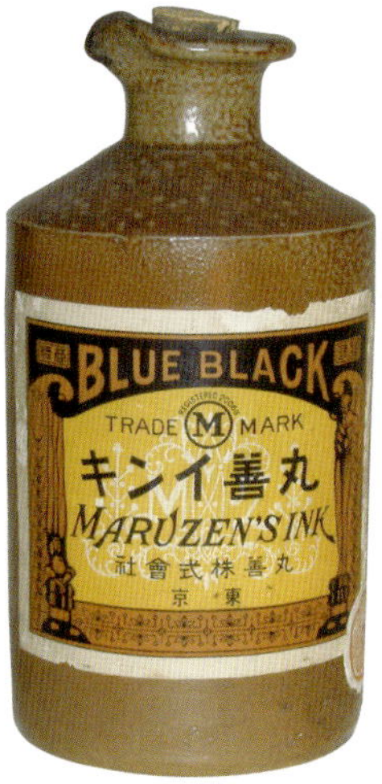

丸善インキの陶製容器／丸善／H188

サンエスインキ／細沼／H85

不易ABCインキ／不易糊工業／H75

パイロット万年筆のしおり／144×72

ライトインキ／篠崎インキ製造／H67

ロイドインキ／鈴木インキ製造／H73

パイロットインキ／H70

プラトンインキ／H68

特許インキ／H58

ミリタリーインキ／
東京サムライ商会／H68

各色インキ消液／米山商店／H65

鶏印スタンプインキ／H100

プラトンスタンプインキ／H105

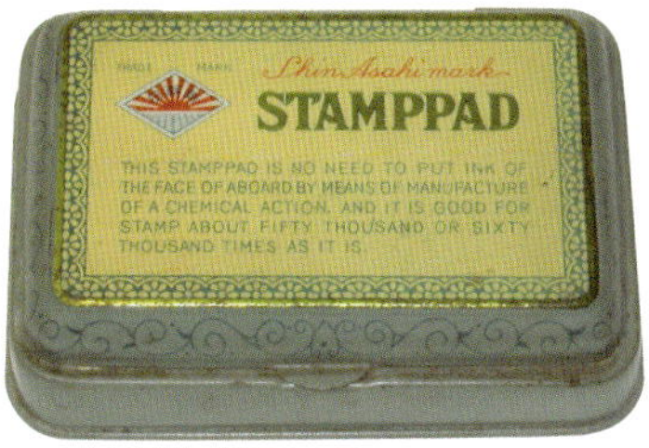

新朝日スタンプパッド／71×100×23

スタンプパッド／75×113×22

月美人印スタンプインキ／
H85

チャムピオンスタンプインキ／
篠崎インキ製造／H104

絵葉書／90×140

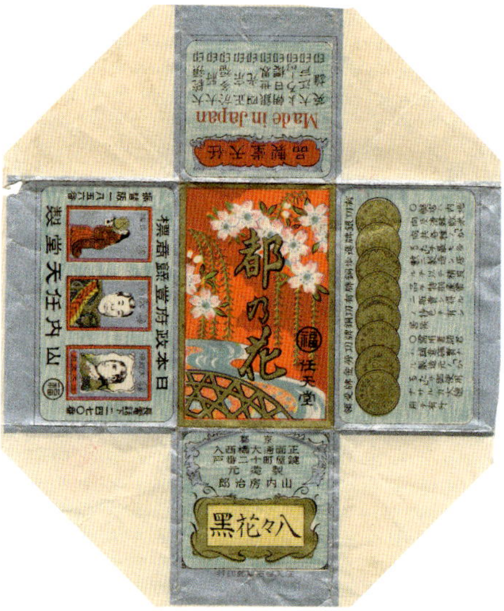

都の花の包紙／山内任天堂／133×113

日本のかるたの歴史は平安時代に貴族の間で始まった「貝合わせ」という遊びにさかのぼる。これはハマグリの貝殻を二手に分け、形や柄から一対のものを探し出す簡単な遊びであったが、やがて貝殻の内側に絵や和歌が書かれた「歌貝」へと発展した。その後、紙製の「歌かるた」に移り、小倉百人一首を題材としたものが江戸初期に普及し、現在まで続いている。

一方、花札も元々はかるたと呼ばれており、その源は 16 世紀に伝来した南蛮かるた（西洋のカード）である。南蛮かるたは「天正かるた」、「うんすんかるた」と日本風にアレンジされ普及したが、賭博性が強いため禁令が出される事も度々であった。その度に少しデザインに変化を持たせたものが登場し、法から逃れるといういたちごっこを繰り返しながら日本独特の「花札」へと形を変えていった。明治になると、西洋から新たにトランプが輸入され人気を博するとともに花札の禁令も解かれ、庶民の間に娯楽として急速に広まった。かるたメーカーの雄、任天堂が創業されるのも丁度その頃、明治 22 年（1889）の事である。工芸家である山内房次郎が京都で「任天堂骨牌（かるた）」を立ち上げ、花札の製造・販売を始めた。職人が伝統的な工法で生み出す美しい花札は京都、大阪で大人気となり、事業も次第に軌道に乗った。明治 35 年（1902）には日本初のトランプ販売も始め、物流を専売局とタイアップする等、全国的な事業展開を図り、日本一のかるた製造会社へと成長した。昭和 8 年（1933）には合名会社化され、「山内任天堂」となった。

ラベル／山城與三郎／87×185

ラベル／山内任天堂／60×182

ラベル／山城與三郎／59×78

ラベル／田中玉水堂／57×173

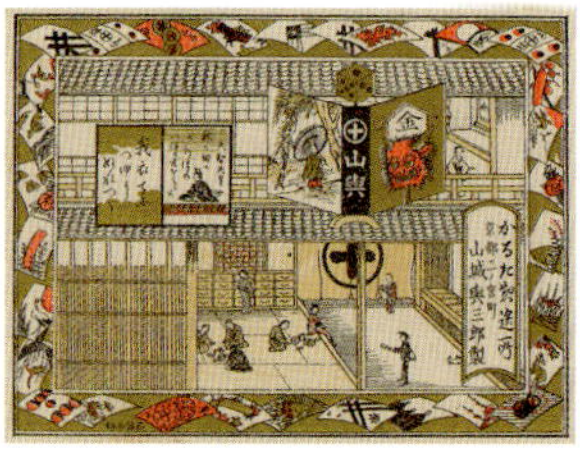

ラベル／山城與三郎／57×73

オリヱントレコード／日本蓄音器商会／256×257

ニットーレコード／日東蓄音器株式会社／258×256

チェリーの針容器／ヱサキ蓄音器商会／42×65×12

蓄音機はトーマス・エジソンにより、明治 10 年（1877）に発明された。当初のものはシリンダーにスズ箔を巻きつけて記録、再生する方式のものであった。「フォノグラフ」と名付けられたそれは、2 年後には早くも日本で実験機が公開されたという。しかし、その後エジソン型蓄音機は、改良を加えながら製品化が進められるも世界標準とはなれず、後に登場した「グラモフォン」と呼ばれる円盤型蓄音機に主導権を奪われてしまった。グラモフォンは明治 20 年（1887）にエミール・ベルリーナが発明したもので、円盤型のためレコードの複製が容易なことが圧倒的な優位点であった。グラモフォンの事業は、英国グラモフォン社と米国ビクター・トーキング・マシーン社により強力に推し進められ世界を制した。国内で初めて製造されたレコードも円盤型のもので、明治 42 年（1909）に日米蓄音機製造株式会社より発売された。

ピーコックの針容器／77×27×9

ニッポンノホンの針容器／29×59×9

黒兎印の針容器／35×47×8

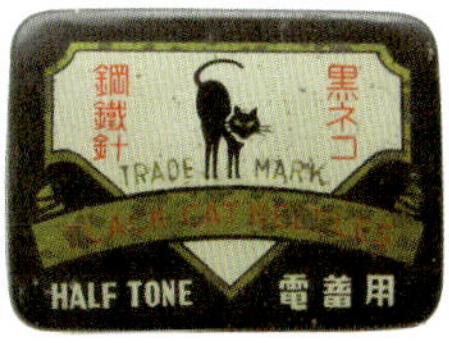

黒ネコの針容器／38×48×8

ピーコックの針容器／27×77×9

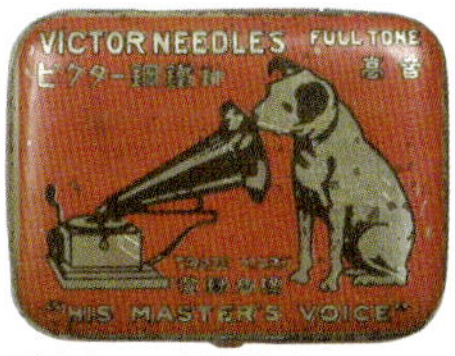

ビクターの針容器／34×46×8

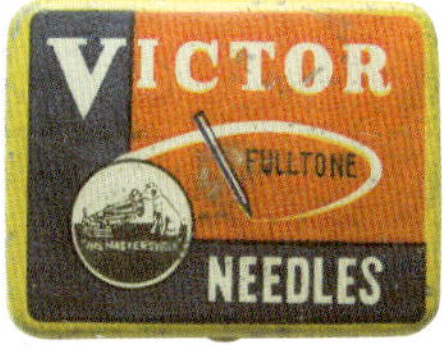

ビクターの針容器／35×46×8

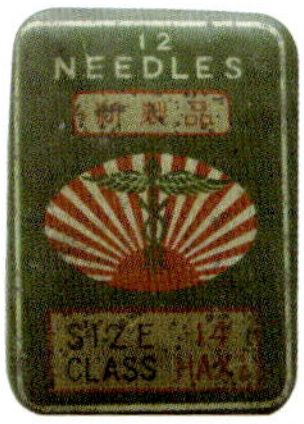

アサヒツルの針容器／47×34×9

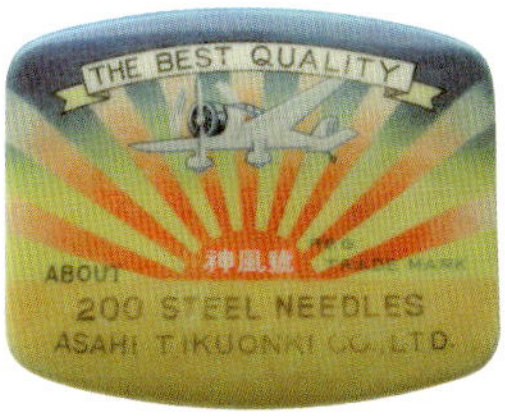

神風号の針容器／アサヒ蓄音器／41×51×9

世界的に有名な HMV（His Masrer's Voice）の商標は実在した犬「ニッパー」がモデルである。19 世紀の終わり頃、ニッパーはマーク・ヘンリー・ブラウドという男性に飼われていたが、その飼主が亡くなったため弟のフランシス・ブラウドに引き取られた。画家であるフランシス・ブラウドは蓄音機から再生される生前の主人の声に不思議そうに首をかしげるニッパーに感動し一枚の絵に描きあげた。その絵は円盤形蓄音機の発明者であるベルリーナの心を動かし、ビクター・トーキング・マシーン社の商標として 1900 年に採用された。その後も提携を受けた多くの会社で使用され、今も世界中で親しまれている。

Department Store

百貨店

日本における百貨店の幕開けは、明治37年（1904）の三越呉服店によるデパートメント宣言である。それは、それまでの三井呉服店を株式会社三越呉服店として三井財閥から独立させると共に、欧米のデパートに倣って経営方針を変革するという内容で、顧客向けの挨拶状や新聞広告で約束が謳われた。当時の専務、日比翁助が変革推進の中心となり、化粧品や洋品等の小間物を数々売り出すと共に、食堂の開設やショーウインドウ、エスカレーターの設置等、サービス面の充実も図り、近代化を推し進めた。元々、三越呉服店は、延宝元年（1673）三井高利が江戸で始めた「越後屋」に端を発する老舗であるが、開業して間も無い天和3年（1683）には、「現銀掛け値なし」という方針を打ち出し、正価販売を実現、それまで高級品だった呉服を一般にも普及させた立役者である。また明治26年（1893）からの三井呉服店の時代には、理事に就任した高橋義雄の指揮で商品の販売方法を客と店員が畳に座ってやり取りする「座売り」から「陳列式」に替えたり、帳簿を大福帳から洋式簿記に変更する等の効率化を進めた。このように三越は、その時代時代に応じた小売業の革新を推し進める先駆者であった。

三越呉服店のデパートメント宣言に続き、白木屋、松屋、松坂屋、髙島屋、大丸等の大型呉服店が次々と同様の営業方法に変わっていった。大正時代には各店とも宣伝・広告に力を入れ、美人画ポスターや絵葉書、宣伝用冊子等が世に多く出された。三越嘱託の図案家、杉浦非水がアール・ヌーボー調ポスターで、一躍脚光を浴びたのもその頃である。また「今日は帝劇、明日は三越」という有名なコピーも当時の宣伝戦略の一環として生み出されたもので、多くの人々の共感を得て、当時の流行語となった。

昭和初期になると阪急百貨店や東横百貨店などの電鉄系百貨店も参入、全国各地へ出店も拡大し、流行、文化の発信基地として、より多くの顧客に親しまれるようになった。

三越呉服店の絵葉書／140×92

三越呉服店の絵葉書／140×92

封緘ラベル／三越／Φ30

封緘ラベル／白木屋／Φ38

「越後屋」と「白木屋」は江戸時代の初めにともに呉服屋として商売を始め、長年にわたり互いに競いながら発展し、百貨店の基礎を築いてきた両雄である。越後屋は、延宝元年（1673）に三井高利が江戸で開業したのが始まりで、正価販売を用い、それまで高級品だった呉服を一般にも普及させた。その後、多方面に発展した三井家の事業から呉服部門が一旦分離され、明治 5 年（1872）に三越得右衛門の経営となった。明治 26 年（1893）からの「三井呉服店」の時代を経て、明治 37 年（1904）には、株式会社三越呉服店として近代的百貨店のスタートを切った。
一方の白木屋は、京都の材木商、大村彦太郎が寛文 2 年（1662）に江戸日本橋通りに店を開いた事に始まり、「商いは高利をとらず、正直に良きものを売れ、末は繁盛」をモットーにして繁栄をした。明治に入ってからは、いち早く洋服部を設立（明治 19 年）する等の西洋化策を推し進め、業績を伸ばしていった。同社の商標は材木商時代の物で、交叉させた曲尺に業界トップを目指した「一」を加えたものである。

商標ラベル／越後屋／73×54

商標ラベル／越後屋／71×54

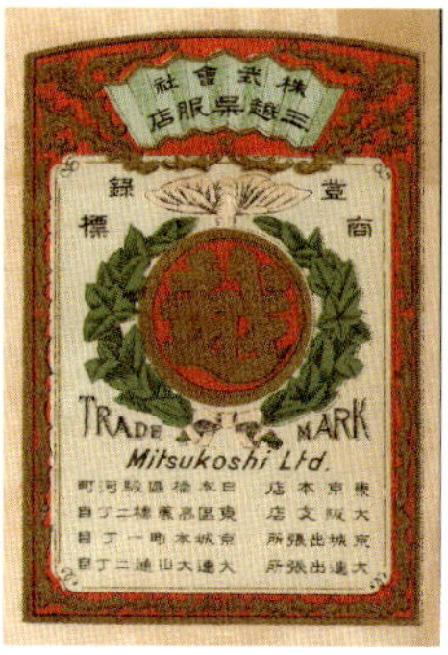

商標ラベル／三越呉服店／84×58

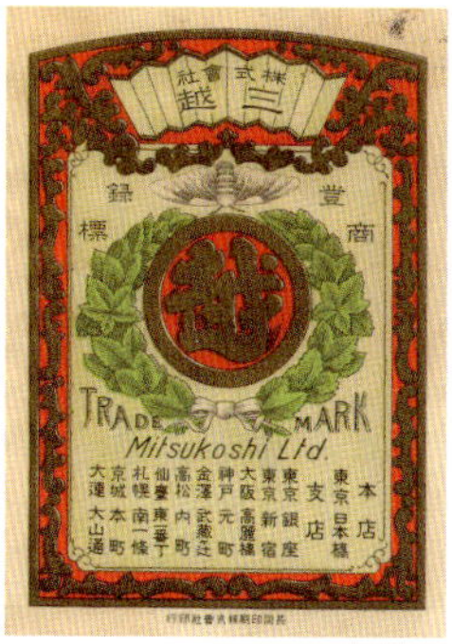

商標ラベル／三越／86×60

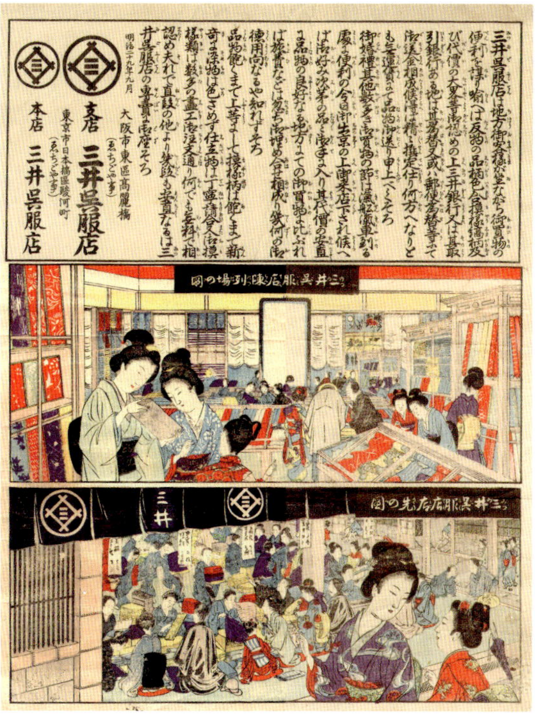

引札（明治29年）／三井呉服店／498×366

ラベル／白木屋／76×96

ラベル／白木屋呉服店／89×120

ブリキ缶／阪急百貨店／134×188×40

私鉄ターミナル駅の商業利用として、国内初のターミナルデパート「阪急百貨店」は、昭和4年（1929）梅田に開業した。呉服店から出発した高級志向の先発百貨店とは方向性を変え、食料品や日用品を豊富に取り揃え、大衆向けの店を目指し、地域全体の発展に寄与した。阪急百貨店の成功を受け、東京でも昭和9年（1934）に東横百貨店が渋谷駅に開業されている。

ラベル／阪急百貨店／41×54

ラベル／髙島屋／64×84

ラベル／大丸／94×77

ラベル／髙島屋／76×53

ラベル／髙島屋／92×64

ラベル／丸物／73×90

ラベル／丸物／102×76

ラベル／髙島屋／76×53

ラベル／十合呉服店／125×85

絵葉書／松坂屋／90×141

チラシ／藤井大丸／100×167

ラベル／三越／78×33

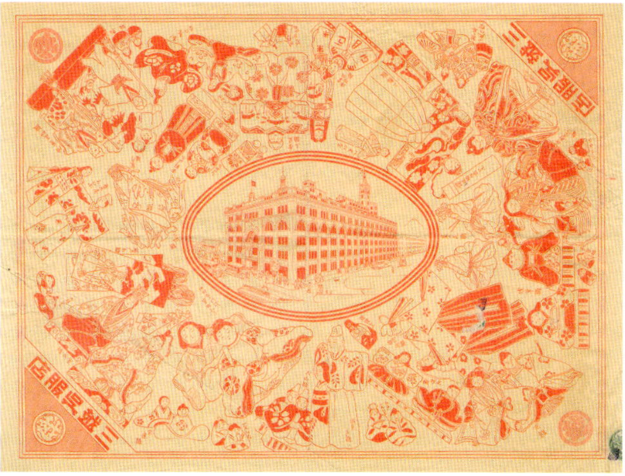

包装紙／三越呉服店／460×615

マッチラベル／三越／55×36

品物の包装に封をするための封緘シールは、直径２～４ｃｍ程度の小さな存在であるが、その限られたスペースへの図案デザインにも各百貨店の趣向が凝らされている。サービスの細部まで手を抜かないという百貨店のプライドが伝わってくる。

封緘ラベル／三越／Φ41

封緘ラベル／三越／Φ39

封緘ラベル／髙島屋／Φ27

封緘ラベル／髙島屋／Φ40

封緘ラベル／髙島屋／Φ38

封緘ラベル／髙島屋／Φ41

封緘ラベル／髙島屋／Φ38

封緘ラベル／髙島屋／Φ39

封緘ラベル／髙島屋／Φ39

封緘ラベル／阪急百貨店／Φ35

封緘ラベル／松坂屋／26×37

封緘ラベル／松坂屋／32×44

封緘ラベル／松坂屋／34×48

封緘ラベル／松坂屋／35×52

封緘ラベル／大丸／Φ38

封緘ラベル／三越／35×53

封緘ラベル／三越／35×50

封緘ラベル／三越／36×52

封緘ラベル／髙島屋／36×55

封緘ラベル／丸物／Φ38

■参考文献

文　献　名	著者または編者	発行所	発行年
[全般]			
日本商標大事典	商標研究会	商標研究会	1959年
近代日本のデザイン文化史	榧野八束	フィルムアート社	1992年
日本のパッケージデザイン　その歩み・その表情	日本パッケージ協会	六耀社	1976年
日本の広告美術　明治・大正・昭和３　パッケージ	東京アートディレクターズクラブ	美術出版社	1968年
日本２０世紀館	五十嵐仁ほか	小学館	1999年
日本広告表現技術史	中井幸一	玄光社	1991年
日本広告発達史（上）	内川芳美編	電通	1976年
大阪における近代商業デザインの調査研究	宮島久雄研究代表	サントリー文化財団	2002年
日本のアールデコ	末続尭	里文出版	1999年
かたちの日本美	三井秀樹	日本放送出版協会	2008年
現代デザイン事典　2008年版		平凡社	2008年
「装飾」の美術文明史	鶴岡真弓	日本放送出版協会	2004年
近代日本デザイン史	長田謙一、樋田豊郎、森仁史	美学出版	2006年
パッケージデザインのモダニズム	ジェリー・ジャンコフスキー	學藝書林	1993年
日本のグラフィックデザイン	和歌山県立近代美術館	和歌山県立近代美術館	1996年
創活／なにわの広告		大阪広告協会	1997年
大正レトロ・昭和モダン　広告ポスターの世界	姫路市立美術館	図書刊行会	2007年
骨董「緑青」Ｖｏｌ．17　大正・昭和懐かしのポスター		マリア書房	2002年
Ｔｈｅあんてぃーく Ｖｏｌ．13　明治のファッション		読売新聞社	1992年
繁昌図案	荒俣宏、北原照久	マガジンハウス	1991年
広告キャラクター大博物館	ポッププロジェクト編	日本文芸社	1994年
超ロングセラー大図鑑	竹内書店新社編集部	竹内書店新社	2001年
広告図像の伝説	荒俣宏	平凡社	1989年
日本のラベル	三好一	京都書院	1997年
[第１章　貿易図案]			
図説　横浜外国人居留地	横浜開港資料館	有隣堂	1998年
横浜居留地と異文化交流	横浜居留地研究会	山川出版社	1996年
神戸と居留地	神戸外国人居留地研究会	神戸新聞総合出版センター	2005年
市民グラフ　ヨコハマ　No.５２		横浜市市民局	1985年
横浜開化錦絵を読む	宗像盛久	東京堂出版	2000年
明治大正図誌第４巻　横浜・神戸	土方定一	筑摩書房	1978年
蘭字	井手暢子	電通	1993年
ものと人間の文化史　絹Ⅱ	伊藤智夫	法政大学出版局	1992年
グンゼ１００年史	グンゼ	グンゼ	1998年
横浜・歴史の街かど	横浜開港資料館	神奈川新聞社	2002年

文献名	著者または編者	発行所	発行年
マッチラベル	下島正夫	駸々堂出版	1989年
マッチレッテル万華鏡	加藤豊	白石書店	2001年
［第2章　トイレタリー］			
化粧品のブランド史	水尾順一	中公新書	1998年
化粧ものがたり	高橋雅夫	雄山閣出版	1997年
モダン化粧史	津田紀代、村田孝子	ポーラ文化研究所	1986年
近代の女性美	村田孝子	ポーラ文化研究所	2003年
平尾賛平商店五十年史	平尾賛平商店	平尾賛平商店	1929年
化粧品の常識	野口柾夫	平尾賛平商店	1929年
資生堂百年史	資生堂	資生堂	1972年
美と知のミーム、資生堂		資生堂	1998年
ポスターワンダーランド　ファッションと化粧品	講談社	講談社	1996年
クラブコスメチックス80年史	クラブコスメチックス	クラブコスメチックス	1983年
モダニズムを生きる女性		芦屋市立美術博物館	2002年
Ｂｅａｕｔｙ　Ｓｃｉｅｎｃｅ　第1号	ビューティサイエンス学会	源流社	2003年
日本清浄文化史	花王石鹸資料室	花王石鹸	1971年
花王石鹸八十年史	花王石鹸資料室	花王石鹸	1971年
ライオン歯磨八十年史	ライオン歯磨社史編纂委員会	ライオン歯磨	1973年
アンネナプキンの社会史	小野清美	宝島社	2000年
和光堂のあゆみ	和光堂社史編纂室	和光堂	1969年
［第3章　薬品］			
富山の売薬文化と薬種商		富山県文化振興財団	1986年
富山のセールスマンシップ	遠藤和子	サイマル出版	1995年
日本の伝承薬	鈴木昶	薬事日報社	2005年
お薬グラフィティ	高橋善丸	光琳社出版	1998年
くすりの広告文化		内藤記念くすり博物館	2003年
仁丹は、ナゼ苦い？	町田忍	ボランティア情報ネットワーク	1997年
マッカーサーと征露丸	町田忍	芸文社	1997年
横浜骨董ワールドガイドブックＶｏｌ．３「神薬」	庄司太一	横浜骨董ワールド事務局	2003年
漢方の花　順天堂実記	津村重舎	津村順天堂	1982年
森下仁丹８０年史	森下仁丹	森下仁丹	1974年
船場道修町	三島佑一	人文書院	1990年
多木化学百年史	多木化学百年史編纂委員会	多木化学株式会社	1985年
金鳥の百年	大日本除虫菊社史編纂室	大日本除虫菊	1988年
フジサワ１００年史	藤沢薬品工業	藤沢薬品工業	1995年

■参考文献

文献名	著者または編者	発行所	発行年
［第４章　食品・嗜好品］			
びんの話	山本孝造	日本能率協会	1990 年
酒の民俗文化誌	窪寺紘一	世界聖典刊行協会	1998 年
ポスターワンダーランド　酒とたばこ	講談社	講談社	1995 年
ビールと日本人	麒麟麦酒	三省堂	1984 年
ビールのラベル	サッポロビール博物館	クレオ	1998 年
日本のビール	神奈川県立歴史博物館	神奈川県立歴史博物館	2006 年
サッポロビール１２０年史	サッポロビール広報部	サッポロビール	1996 年
日本清涼飲料史	東京清涼飲料協会	東京清涼飲料協会	1975 年
初恋五十年	三島海雲	ダイヤモンド社	1965 年
広告の親玉赤天狗参上！	たばこと塩の博物館	たばこと塩の博物館	2006 年
日本公企業史―タバコ専売事業の場合―	村上了太	ミネルヴァ書房	2001 年
民営時代たばこの意匠	専売事業協会	専売事業協会	1974 年
明治民営期のたばこデザイン	たばこと塩の博物館	たばこと塩の博物館	2004 年
たばこの本パート２	アフィニスクラブ事務局	日本たばこ産業	1988 年
西洋菓子彷徨始末	吉田菊次郎	朝文社	1994 年
東京凮月堂社史	東京凮月堂社史編纂委員会	東京凮月堂	2005 年
森永五十年史	森永製菓	森永製菓	1954 年
森永製菓一〇〇年史	森永製菓	森永製菓	2000 年
ザ・チョコレート大博覧会	町田忍	扶桑社	2000 年
ザ・おかし	串間努	扶桑社	1999 年
おかしな駄菓子屋さん	入山喜良	京都書院	1998 年
とんかつの誕生	岡田哲	講談社	2000 年
ヨコハマ洋食文化事始め	草間俊郎	雄山閣出版	1999 年
全集日本の食文化　第八巻	芳賀登・石川寛子	雄山閣出版	1997 年
たべもの日本史総覧	西山松之助ほか	新人物往来社	1994 年
日本型食生活の歴史	安達巌	新泉社	1993 年
味の素の５０年	味の素	味の素株式会社	1960 年
野田醤油株式会社三十五年史	野田醤油株式会社社史編纂室	野田醤油	1955 年
カゴメ八十年史	カゴメ八十年史編纂委員会	カゴメ	1978 年
［第５章　繊維・日用品］			
ファッションの社会経済史	田村均	日本経済評論社	2004 年
文具の歴史	田中経人	リヒト産業	1972 年
紳士の文房具	板坂元	小学館	1994 年
株式会社三越 85 年の記録	三越	三越	1990 年

■掲載資料の形態別集計

章	節	商品意匠								販促物							合計
		ラベル	箱	缶	瓶	陶磁器	袋	商品	包装紙	看板	ポスター	引札	チラシ	広告	ノベルティ	絵葉書	
1. 貿易図案																	
	外国商館	49	1								1					1	52
	輸出用茶	4															4
	生糸	59														1	60
	燐票	114											1				115
2. トイレタリー																	
	化粧品	28	41	15	69	1	2	9	1				1			4	171
	石鹸	5	33	11					1				3			2	55
	洗粉		4	1		1	3										9
	歯磨	3	8	10	2		6	3			1		1			1	35
	月経帯		3	19									1				23
	パウダー		6	5													11
3. 薬品																	
	売薬	1	16	31	15		37			3		17	9	1	7	5	142
	薬種	15															15
	肥料										6					1	7
	蚊取線香	2	21				5				2	1	1				32
	樟脳	1	4	5													10
4. 食品・嗜好品																	
	飲料	48	3		12				1	2	2	1	1	2	14	6	92
	煙草	56	24	1			1	4	3			2	1		7	3	102
	お菓子	33	28	15					3			1	1		2		83
	食料品	40	1	6			2		1				3		1	1	55
	調味料	20	3	2	8						3		3				39
5. 繊維・日用品																	
	繊維	68	6	2			1					1					78
	文具				15			9				1			1	1	27
	娯楽品	5	1	9			2		1							1	19
	百貨店	39		1					1			1	1			3	46
合計		590	203	133	121	2	59	25	12	5	15	25	27	3	32	30	1282

大　正　　**昭和初期**

明治四二年	大學白粉（矢野芳香園）発売
明治四三年	クラブ白粉（中山太陽堂）発売
明治四三年	星製薬所創業
明治四三年	クラブ美身クリーム（中山太陽堂）発売
明治四三年	レート粉白粉（平尾賛平商店）発売
明治四四年	クラブ水白粉（中山太陽堂）発売
明治四四年	クラブ粉白粉（中山太陽堂）発売
大正二年	レート固煉白粉（平尾賛平商店）発売
大正三年	クラブ固煉白粉（中山太陽堂）発売
大正三年	透明レート（平尾賛平商店）発売
大正四年	クラブ紙白粉（中山太陽堂）発売
大正四年	化粧水ヘチマコロン（天野源七商店）発売
大正六年	七色粉白粉（資生堂）発売
大正七年	レートメリー（平尾賛平商店）発売
大正一二年	クラブ口紅（中山太陽堂）発売
昭和二年	久保政吉商店創業
昭和二年	金鶴香水創業
昭和三年	クラブビシン（中山太陽堂）発売
昭和四年	ポーラ化粧品本舗前身創業
昭和七年	モダンカラー粉白粉（資生堂）発売
昭和七年	クラブ衿白粉（中山太陽堂）発売
昭和一〇年	ピカソ美化学研究所創業
昭和一一年	ホルモン配合クラブ衿白粉（中山太陽堂）発売
昭和一四年	鐘紡化粧品研究所創立

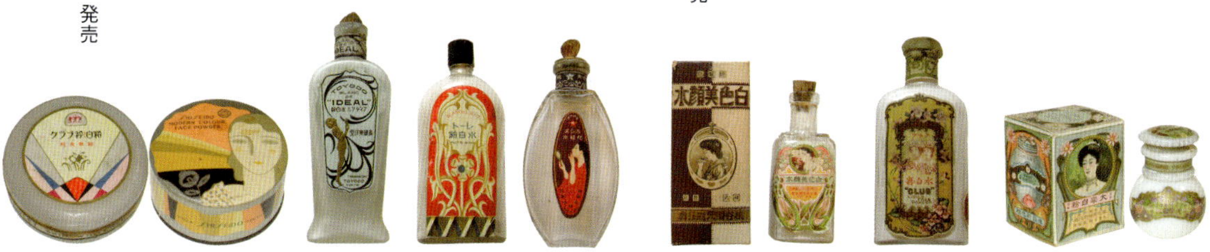

大　正　　**昭和初期**

明治四二年	牛乳石鹸共進社創業
明治四三年	クラブ歯磨（中山太陽堂）発売
明治四三年	ミツワ石鹸（丸美屋）発売
明治四三年	日本リーバ・ブラザーズ社創立
明治四三年	ニード洗粉（田中善進堂）発売
明治四四年	チューブ入ライオン歯磨（小林商店）発売
大正一年	レート歯磨（平尾賛平商店）発売
大正一年	レート洗粉（平尾賛平商店）発売
大正二年	クラブ煉歯磨（中山太陽堂）発売
大正一〇年	資生堂石鹸（資生堂）発売
大正一二年	クラブ石鹸（中山太陽堂）発売
大正一二年	ライオン缶入粉歯磨（小林商店）発売
大正一三年	玉子洗粉（美香園）発売
昭和二年	仁丹煉歯磨（森下博営業所）発売
昭和六年	新装花王石鹸（花王石鹸（株）長瀬商会）発売
昭和七年	花王シャンプー（花王石鹸（株）長瀬商会）発売
昭和七年	スモカ歯磨創業
昭和一二年	日本油脂設立
昭和一五年	資生堂中煉歯磨（資生堂）発売

〈化粧品〉

明治

明治五年	福原資生堂開業
明治五年	井筒屋香油店創業
明治一一年	平尾賛平商店創業
明治一一年	小町水（平尾賛平商店）発売
明治一七年	小町粉白粉（平尾賛平商店）発売
明治一五年	天野源七商店創業
明治一八年	桃谷順天館創業
明治一九年	薬用にきびとり美顔水（桃谷順天館）発売
明治二一年	山崎帝國堂創業
明治二二年	脇田盛眞堂創業
明治二二年	花王白粉（脇田盛眞堂）発売
明治二七年	安藤井筒堂創業
明治三〇年	オイデルミン（資生堂）発売
明治三〇年頃	ムスク香水（松澤常吉化粧品）発売
明治三五年	化粧用美顔水（桃谷順天堂）発売
明治三五年	メリー白粉（平尾賛平商店）発売
明治三六年	中山太陽堂創業
明治三七年	伊東胡蝶園創業
明治三七年	無鉛御園白粉（伊東胡蝶園）発売
明治三九年	乳白化粧水レート（平尾賛平商店）発売
明治四〇年	御園クリーム（伊東胡蝶園）発売
明治四一年	田端豊香園創業
明治四二年	クレームレート（平尾賛平商店）発売
明治四二年	矢野芳香園創業

〈石鹸・洗粉・歯磨〉

明治

明治五年	京都舎密局石鹸製造開始
明治六年	堤磯右衛門石鹸製造所創業
明治八年	堤磯右衛門石鹸製造所石鹸製造開始
明治一〇年	歯磨花王散（波多野保全堂）発売
明治二〇年	長瀬商店創業
明治二一年	福原衛生歯磨石鹸（資生堂）発売
明治二三年	花王石鹸（長瀬商店）発売
明治二三年	徳田商店創業
明治二四年	小林富次郎商店創業
明治二四年	ダイヤモンド歯磨（平尾賛平商店）発売
明治二六年	象印歯磨（安藤井筒堂）発売
明治二六年	堤石鹸製造所廃業
明治二九年	ライオン歯磨（小林商店）発売
明治三六年	中山太陽堂創業
明治三六年	ライオン固煉歯磨ニッケル缶（小林商店）発売
明治三七年	伊東胡蝶園創業
明治三九年	クラブ洗粉（中山太陽堂）発売
明治四〇年	御園歯磨（伊東胡蝶園）発売
明治四〇年	メリー洗粉（平尾賛平商店）発売

昭和初期　大正

明治三三年	凸版印刷合資会社設立
明治三三年	二十世紀（村井兄弟商会）発売
明治三四年	太閤（村井兄弟商会）発売
明治三五年	日の出、富士（岩谷商会）発売
明治三七年	煙草専売法施行、煙草専売局発足
明治三七年	敷島、大和、朝日、山桜（煙草専売局）発売
明治三七年	スター、チェリー、リリー（煙草専売局）発売
明治三七年	カメリア（煙草専売局）発売
明治三七年	ゴールデンバット（煙草専売局）発売
明治三八年	刻煙草六種（煙草専売局）発売
明治四〇年	煙草専売局、専売局に改称
明治四二年	アルマ（専売局）発売
明治四三年	エアシップ（専売局）発売
大正九年	ピース（専売局）発売
昭和六年	ホープ（専売局）発売
昭和六年	響、うらら（専売局）発売
昭和一一年	光（専売局）発売
昭和一五年	金鵄（専売局）発売

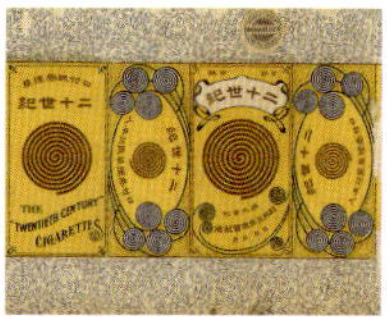

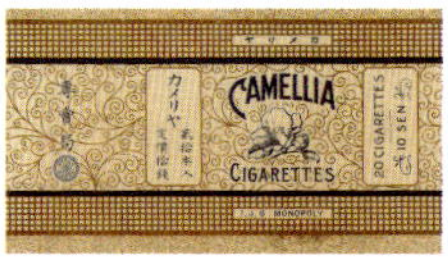

昭和初期　大正

明治二九年	健脳丸（丹平商会）発売
明治三一年	今治水（丹平商会）発売
明治三二年	大學目薬（田口参天堂）発売
明治三二年	カオール（安藤井筒堂）発売
明治三二年	山田安民薬房創業
明治三二年	胃活（山田安民薬房）発売
明治三三年	毒滅（森下南陽堂）発売
明治三八年	仁丹（森下博薬房）発売
明治三九年	和光堂薬局創業
明治四二年	ロート目薬（山田安民薬房）発売
明治四三年	星製薬所創業
大正四年	四季容器付仁丹（森下博薬房）発売
大正九年	メンソレータム（近江セールズ）輸入販売
大正一五年	固形浅田飴（堀内伊太郎商店）発売
昭和六年	両口ガラス容器製ロート目薬の発売
昭和七年	両口ガラス点眼瓶製大学目薬の発売
昭和一八年	薬律、売薬法等が一本化され、薬事法公布

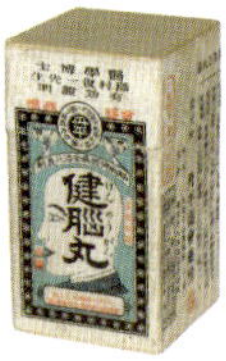

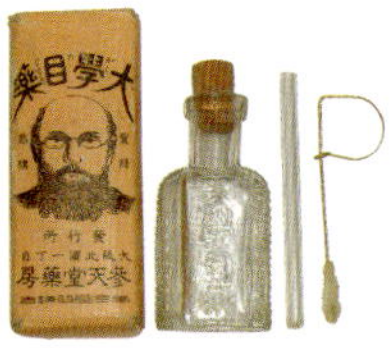

〈煙草〉

明治

明治二年	土田安五郎、国内最初の紙巻煙草を試製
明治八年	竹内、石川、機械による紙巻煙草試作
明治一一年	岩谷松平、東京銀座に薩摩屋創業
明治一七年頃	天狗たばこ（岩谷松平）発売
明治一八年頃	千葉松兵衛、紙巻煙草製造開始、牡丹たばこ発売
明治一九年頃	玉椿（岩谷右衛）発売
明治二〇年頃	カメオ、ピンヘッド等、外国両切煙草輸入
明治二一年	煙草税則二次改定、完全包装義務化
明治二四年	サンライス（村井吉兵衛）発売
明治二七年	ヒーロー（村井吉兵衛）発売
明治二七年	合名会社村井兄弟商会設立
明治二七年頃	日清戦争に伴い軍国調の銘柄が多く発売
明治三〇年	村井、岩谷の広告宣伝合戦激化
明治三二年	村井、米印刷社と提携し、東洋印刷（株）設立
明治三二年	村井、アメリカン・タバコ社と資本提携

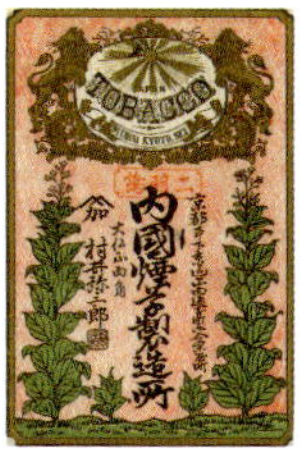

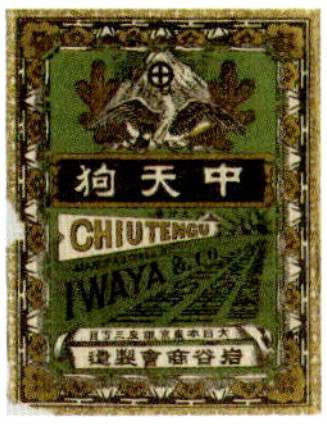

〈売薬〉

明治

文久二年	寳丹（守田治兵衛）発売
慶応三年	精錡水（岸田吟香）発売
明治三年	売薬取締規制公布、薬販売が許可制に
明治四年	龍角散、一般薬として販売開始
明治五年	福原有信、西洋薬舗会社資生堂を創業
明治八年	清快丸、清腸（高橋卯之助）発売
明治九年	廣貫堂設立
明治一二年	太田胃散（雪湖堂・太田信義）発売
明治一六年	大日本製薬会社創業
明治二〇年	御薬さらし水飴（堀内伊太郎）発売
明治二一年	山崎帝國堂薬房創業
明治二二年	さらし水飴を浅田飴と改名（堀内伊太郎商店）
明治二三年	田口参天堂創業
明治二三年	ヘブリン丸（田口参天堂創業）発売
明治二六年	森下南陽堂創業
明治二六年	津村順天堂創業
明治二六年	中将湯（津村順天堂）発売
明治二七年	丹平商会創業

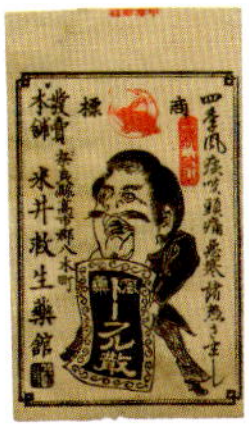

大正	昭和初期

明治三二年　カブトビール（丸三麦酒）発売
明治三九年　札幌、日本、大阪が合併、大日本麦酒株式会社設立
明治三九年　丸三、日本第一麦酒株式会社に改組
明治四〇年　麒麟麦酒株式会社設立
明治四〇年　大日本麦酒、東京麦酒を買収
明治四〇年　赤玉ポートワイン（壽屋洋酒店）発売
明治四一年　日本第一麦酒、加富登麦酒に社名変更
明治四五年　帝國麦酒株式会社設立
大正二年　サクラビール（帝國麦酒）発売
大正九年　カスケードビール（日英醸造）発売
大正一〇年　加富登、帝國鉱泉ら合併し、日本麦酒鉱泉株式会社設立
大正一〇年　壽屋設立
大正一〇年　フジビール（東洋醸造）発売
大正一一年　ユニオンビール（日本麦酒鉱泉）発売
昭和二年　蜂印香竄葡萄酒、蜂ブドー酒に商品名変更
昭和四年　新カスケードビール（壽屋）発売
昭和四年　帝國麦酒、櫻麦酒株式会社に社名変更
昭和五年　オラガビール（壽屋）発売
昭和八年　大日本麦酒、日本麦酒鉱泉を合併
昭和一八年　大日本麦酒、櫻麦酒を合併

大正	昭和初期

大正五年　明治製菓の前身、東京菓子創立
大正六年　ラクトーキャラメル発売
大正七年　森永、板チョコの豆からの一貫生産開始
大正七年　前田西洋菓子製造所創業
大正九年　カルケット（中央製菓）発売
大正一〇年　カルミン（明治製菓）発売
大正一一年　グリコ（江崎利一）発売
大正一二年　森永、国内向けビスケット販売
大正一四年　フルヤミルクキャラメル（古屋商店）発売
大正一四年　バナナキャラメル（新高製菓）発売
大正一五年　ミルクチョコレート（明治製菓）発売
大正一五年　ポンタンアメ（鹿児島製菓）発売
昭和二年　グリコにおまけが付き始める
昭和二年　佐久間製菓、チョコレート発売
昭和二年　サイコロキャラメル（明治製菓）発売
昭和五年　マンナ（森永製菓）発売
昭和六年　フルヤウインターキャラメル（古屋商店）発売
昭和八年　ビスコ（グリコ）発売
昭和九年　スマートドロップス（森永製菓）発売
昭和九年　フランスキャラメル（不二家）発売
昭和九年　クリームキャラメル（明治製菓）発売
昭和一〇年　ハートチョコレート（不二家）発売
昭和三〇年　コーヒーキャラメル（明治製菓）発売

〈ビール・葡萄酒〉

明治

明治三年 スプリング・バレー・ブルワリー設立
明治五年 渋谷ビール（渋谷庄三郎）発売
明治七年 三ッ鱗ビール（野口正章）発売
明治九年 開拓使麦酒醸造所設立
明治一〇年 大日本山梨葡萄酒会社設立
明治一〇年 京都舎密局麦酒醸造所設立
明治一二年 櫻田ビール（醗酵社・金沢三右衛門）発売
明治一四年 札幌冷製ビール（開拓使麦酒醸造所）発売
明治一四年 蜂印香竄葡萄酒（神谷傳兵衛）発売
明治一八年 浅田ビール（浅田麦酒醸造所）発売
明治一八年 ジャパン・ブルワリー・カンパニー設立
明治一九年 札幌麦酒醸造場、民間に払下げ
明治二〇年 日本麦酒醸造会社設立
明治二〇年 丸三麦酒醸造所設立
明治二一年 麒麟ビール（ジャパン・ブルワリー・カンパニー）発売
明治二二年 大阪麦酒会社設立
明治二三年 恵比壽ビール（日本麦酒醸造）発売
明治二五年 旭ビール（大阪麦酒）発売
明治二五年 宮崎光太郎、大黒葡萄酒株式会社設立
明治二六年 ニシキビール（大阪麦酒）発売
明治二九年 櫻田麦酒、東京麦酒株式会社に改組
明治三一年 東京ビール（東京麦酒）発売

〈お菓子〉

明治

宝暦三年 大住喜右衛門、大坂屋（後の凮月堂）創立
明治五年 米津松造、凮月堂からのれん分けし、米津凮月堂設立
明治七年 凮月堂総本店、リキュールボンボン発売
明治八年 米津凮月堂、国内初、ビスケット商品化
明治一一年 米津凮月堂、国内初、チョコレート商品化
明治二五年 米津凮月堂、マシュマロ発売
明治二九年 芥川松風堂、国内初のドロップ発売
明治三二年 森永太一郎、森永西洋菓子製造所創業
明治三二年 森永、輸入原料を使用したチョコレートクリーム発売
明治三二年 森永、国内初、キャラメル製造開始
明治三三年 米津凮月堂、ウエハース発売
明治三八年 森永、エンゼルマークを商標登録
明治四一年 佐久間惣次郎商店、佐久間式ドロップ発売
明治四二年 ピース（森永商店）発売
明治四三年 藤井林右衛門が洋菓子店（不二家前身）創業
明治四四年 パール（森永商店）発売
大正元年 森永商店が森永製菓株式会社に改組
大正二年 缶容器の佐久間式ドロップ登場
大正三年 押出し式紙サック容器森永キャラメル発売
大正四年 森永、輸出用ビスケット生産

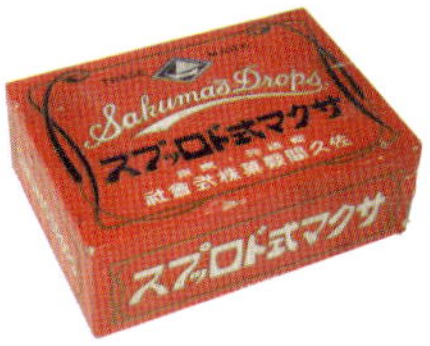

おわりに

ふとした事がきっかけで蒐集を始めた、明治から昭和初めに掛けてのパッケージ、ラベル、広告資料の類であるが、こうして一冊の書籍にまとまるとなかなか壮観である。その時代の生き生きしたエネルギーを感じていただけたと思う。パッケージやラベルは商品を着飾っている被服のようなもので、中身が消費されると捨てられる運命にある。それを当時の物好きな蒐集家や若き図案家達が集め、貼込み帳としたものがたまたま保管されていたり、本来の目的が終了した缶や箱が片付け用途で、蔵の奥にひっそりと残っているのがせいぜいである。震災や戦争で焼失したものも多いであろう。本書の掲載資料は、全国各地で開催される骨董市、紙ものを得意とする古美術商、ネットオークション等で運良く見出したものであるが、よくぞ一世紀もの時を経て、残っていてくれたものである。巡り合えた奇跡に感謝したい。

今回の出版は、自分のコレクションを見せびらかせたいという思いもあるが、明治から昭和初期に掛けての商業美術の変遷を俯瞰することで、文化史、デザイン史を検証できる貴重な資料になるのではないかと考えた次第である。燐票、茶標、煙草、缶詰等、一部の商品アイテムに関しては、詳しい解説本が既に出版されているが、消費財全般を見渡せる資料は乏しいのが実情である。本書には、各時代に隆盛を極めた商品のパッケージやラベルをくまなく掲載したつもりである。現在では姿を消した、月経帯や紙製石盤等も載せている。何らかの研究材料として活用いただける事も期待したい。
デザイン的に秀逸な資料も多いので、現在のデザイナーの方々にとっても、大いに参考になるのではないかと思う。

商品の年代や背景に関する記述は、各社の社史による所が大きい。参考文献は巻末にまとめている。筆者の調査不足や理解不足から、解説中に細かい誤りが有るかも知れないが、ご指摘いただければ幸いである。
当時の商標やキャラクター等を掲載する事を快諾いただいた各企業の皆様には感謝申し上げたい。ただ、ほとんどが百年前の古い資料のため、中には現在の継承企業を判明出来ずに載せている資料もあるかも知れないが、本書の趣旨に基づいてお許し願いたい。
また、コレクションを進めるに当たり、稀有な品物の数々を発掘していただき、かつ貴重な助言を多くいただいた多田敏捷氏、折原勝氏には特に感謝したい。

最後に今回の書籍化の企画に賛同いただき、出版していただいた、光村推古書院の合田有作氏に大変お世話になった。合わせてお礼申し上げたい。

佐野宏明（さのひろあき）

1960年　兵庫県丹波篠山市生まれ

1983年　姫路工業大学卒業後、電機メーカー勤務

1990年頃から商業美術に興味を持ち、広告資料、ラベル、パッケージ等を蒐集

2010年　『浪漫図案』出版

2014年　大阪くらしの今昔館にて企画展開催

2019年　『モダン図案』出版

2021年　『開化図案』出版

浪漫図案

明治・大正・昭和の商業デザイン

平成 22 年 7 月 23 日　初版 1 刷　発行
令和 5 年 11 月 26 日　7 刷　発行

編　佐野宏明

発行人　山下和樹
発　行　カルチュア・コンビニエンス・クラブ株式会社
光村推古書院 書籍編集部
発　売　光村推古書院株式会社
604-8006
京都市中京区河原町通三条上ル下丸屋町 407-2
ルート河原町ビル 5F
Phone 075-251-2888　Fax 075-251-2881
http://www.mitsumura-suiko.co.jp
印　刷　株式会社サンエムカラー

ISBN978-4-8381-0422-2